La terrible nuit du Zoo

ŒUVRES PRINCIPALES

Les aventures de Harry Dickson
Les cercles de l'épouvante
La cité de l'indicible peur
Les contes du whisky
Les derniers contes de Canterbury
Les gardiens du gouffre
Le grand nocturne
Malpertuis
Le livre des fantômes
Le carrefour des maléfices
Les contes noirs du golf
La croisière des ombres
La gerbe noire
Visages et choses crépusculaires

Jean Ray

Harry Dickson

La terrible nuit du Zoo

suivi de

Messire l'Anguille

Texte intégral

Une édition intégrale de **Harry Dickson**, le **Sherlock Holmes** américain, est disponible aux Éditions Claude Lefrancq, Bruxelles.

Tous droits de reproduction, d'adaptation et/ou de traduction réservés pour tous pays © Succession Raymond de Kremer

LA TERRIBLE NUIT DU ZOO

1. Le loup blanc

Le Dr George Huxton posa l'éprouvette qu'il maniait avec précaution et écouta attentivement d'où venait le bruit.

Ayant intentionnellement donné congé à son personnel, il se trouvait seul dans sa grande et sombre maison de Lewisham, véritable forteresse médiévale au cœur de Londres, et voici qu'il distinguait parfaitement le bruit d'une porte qui s'ouvrait puis se refermait avec prudence.

Sa main se posa sur le commutateur et plongea à l'instant le laboratoire dans l'obscurité.

Huxton garda pendant quelques instants une immobilité complète, mais le bruit ne se répéta plus et ne fut suivi par aucun autre.

Dans l'ombre, il chercha un bouton électrique, dissimulé dans l'angle de sa table, et le pressa.

Une faible lueur naquit au plafond, où, petit à petit, se dessina un rectangle phosphorescent. Le docteur demeura les yeux fixés sur ce carré de lumière.

Bientôt des images y parurent et défilèrent lentement, comme un film au ralenti présenté sur un écran en miniature, celles d'escaliers, de couloirs, de salons et de chambres, tous parfaitement vides de présences.

Enfin une porte s'y dessina et le docteur exerça une nouvelle pression sur le bouton : le film s'immobilisa, puis une lampe rouge s'alluma au-dessus de l'écran, s'éteignit, fut remplacée par une lampe verte qui s'éteignit à son tour. Pendant ce temps, sur la table du savant, un cadran horaire radiant était sorti de l'ombre et l'aiguille des secondes s'y mit en marche. Quand elle s'immobilisa, Huxton compta les espaces franchis et hocha pensivement la tête.

— Exactement onze secondes, ou le temps qu'il faut à un homme qui ne connaît qu'imparfaitement les lieux où il se hasarde pour ouvrir une porte, regarder ce qu'il y a derrière et la refermer, le tout en prenant les précautions nécessaires pour n'être ni vu ni entendu.

Il répéta avec ironie : « Ni vu ni entendu. »

— Il en serait ainsi, monologua-t-il, si tous ces témoins scientifiques, allant de la cellule photoélectrique aux détecteurs à rayons infrarouges, ne m'entouraient pas d'un rempart invisible mais sûr.

» Donc quelqu'un est entré, doit être encore dans la maison, et je ne le vois pas ; ceci est pour le moins grave.

Dans les ténèbres, l'éprouvette, reposée dans le râtelier, luisait d'une phosphorescence opaline.

Quand George Huxton se livrait à l'expérience qui l'occupait pour l'heure, il avait toujours soin d'éloigner tout le monde de sa maison ; les appels du téléphone restaient sans réponse et les verrous électriques fonctionnaient rigoureusement à toutes les portes. Et pourtant...

Oui, malgré cette garde formidable, la porte qui condamnait le corridor d'accès au laboratoire, celle que les domestiques ne franchissaient jamais hors de la présence du maître, cette porte venait d'être ouverte et puis refermée, avec des gestes de voleur nocturne.

Néanmoins, sur l'écran témoin lumineux, ce corridor, en vérité fort exigu, demeurait complètement vide.

Hésitant, mais presque rassuré, le docteur reporta la main sur le commutateur pour redonner de la lumière au laboratoire.

Comme il serrait la manette de porcelaine entre ses doigts, il sentit une impression de froid bizarre, comme si on avait doucement soufflé sur sa main.

En même temps il tourna la manette, mais la lumière ne revint pas.

Huxton poussa une exclamation d'horreur car, dans les ténèbres, le souffle se muait en un contact plus tangible et affreusement glacial ; il aurait voulu retirer sa main, mais elle demeurait serrée dans un impitoyable étau.

— Huxton ! dit une voix impersonnelle et lointaine.

— Qui vive ? balbutia le docteur avec peine, et comment êtes-vous entré ici ?

— Je ne suis pas entré ici et je ne suis pas ici non plus, fut la réponse, faite sur le même mode.

— Que voulez-vous ? murmura le docteur.

— Vous emmener avec moi.

Le savant poussa une exclamation étonnée et effrayée à la fois.

— Comment pourrais-je vous accompagner ? Je ne sais pas qui vous êtes ni comment vous êtes parvenu jusque chez moi. Si toutefois vous êtes chez moi, ce dont vous voulez me faire douter.

— Cela m'a coûté beaucoup de peine et surtout une énorme dépense d'énergie, reprit la voix, mais le principal c'est que j'y aie réussi. Quand on se livre à des recherches dangereuses comme le sont les vôtres, docteur, on doit s'attendre à bien des choses, même aux plus invraisemblables. Mais je crois bien que nous finirons par nous entendre.

Huxton sentit que sa main venait d'être libérée et, d'un coup sec, il tourna le commutateur.

Les énormes plafonniers opalins s'allumèrent et un flot de lumière blanche inonda le laboratoire.

Huxton regarda vivement à sa droite croyant y découvrir l'étrange intrus, mais, à sa grande stupeur, il ne vit rien que le mur nu, les différents tableaux témoins, la théorie des manomètres et l'immense tableau noir couvert d'épures et d'équations.

De l'autre côté de la table, ses regards tombèrent sur l'unique porte du laboratoire et il y aperçut les puissants verrous d'acier, aux triples griffes, bien en place dans leurs gâches chromées.

Lentement il passa la main sur son front trempé de sueur.

— Un sale tour de mes nerfs, murmura-t-il, on ne les garde pas impunément tendus des jours et des nuits à la file.

Sur la table, dans un vaste cendrier de jade, s'entassaient des pipes de toutes espèces et dimensions. Huxton en choisit une au large bout d'ambre et la bourra méthodiquement de tabac de Hollande.

La fumée odorante s'envola vers le plafond, y dessinant de fins nuages, et le visage du savant se détendit.

— Fumer... régal et délassement des dieux, murmura-t-il, tout à sa détente.

Sa main caressait distraitement le fourneau tiède de la pipe familière et, soudainement, la lâcha.

Sidéré par un effroi sans bornes, George Huxton regardait le dos de sa main ; une marque étrange, vaguement rougeâtre, s'y dessinait, allant du pouce à l'annulaire : celle d'un long et maigre doigt squelettique, terminé par un ongle démesuré.

— Par le Seigneur, gémit-il, que m'arrive-t-il donc ?

Comme s'il avait craint de toucher un objet en ignition, il frôla de sa main gauche le singulier stigmate et ressentit une cuisante douleur, comme s'il avait touché une brûlure toute fraîche.

— Ah, râla-t-il, je n'ose pas... j'ai peur de comprendre !

Il jeta autour de lui des regards de bête traquée, comme si le tranquille laboratoire s'était soudain peuplé des pires présences. Mais tout y gardait son calme habituel. Des tubes de Crookes palpitaient de lueurs orangées le long d'un appareil à la marche silencieuse, les aiguilles témoins des puissants manomètres oscillaient sur leur cadran, et des lampes de contrôle luisaient de la triste rougeur de leurs filaments incandescents.

Huxton repoussa son fauteuil avec une brusquerie extrême et se rua littéralement vers le tableau commandant les diverses fermetures de sa maison.

Les verrous glissèrent, mus par une poussée automatique, et, dans les profondeurs de la demeure, des déclics identiques se firent entendre, donnant à comprendre que les entrées et les sorties se dégageaient.

Le docteur s'empara à la hâte d'un chapeau et d'un large manteau-cape, accrochés à une patère, courut le long des corridors, ouvrant les portes avec une violence rageuse.

Des vitres s'étoilèrent, des statuettes de marbre s'écroulèrent au passage de son manteau déployé.

La rue était devant lui, solitaire et luisante de pluie; au loin brillaient les avares lumières qui jalonnent les tristes quais de la Ravensbourne River.

Il hésita un moment, frissonnant à l'aigre vent d'octobre puis, enfonçant son feutre sur les yeux, il se mit à courir.

Bill Wackens, gardien de nuit au Zoo, consulta l'horloge de surveillance, pressa le bouton imprimant sa marque sur la fiche de présence et se dirigea vers le hall des fauves.

C'était le moment qu'il préférait à tout autre, car il aimait les farouches pensionnaires de ce département.

Comme il y accédait, le surveillant en chef Mason, tournant le coin d'une allée, lui souhaita une bonne nuit.

— Vous allez border les lions dans leur couchette, Bill? dit-il en riant, et leur donner un petit susucre? Je n'ai jamais compris votre amitié pour ces salopards tout en crocs et en griffes et toujours prêts à vous enlever un morceau de filet pour leur lunch. Mais à chacun ses préférences, n'est-ce pas? A propos, vous l'ignorez sans doute, vous qui ne venez ici que de nuit: le département des fauves vient de s'enrichir d'un pensionnaire qui vaut des mille et des cents à ce qu'il paraît, un loup blanc de Sibérie. Tudieu, quel lascar! Il fait la pige aux tigres du Bengale quant à la taille et à la férocité de la mine. Ne l'approchez pas de trop près, vous qui ne vous gênez pas pour tirer les moustaches de la panthère noire, car la bête me semble plutôt un démon qu'un animal... Brr, voilà une brute que je n'aimerais même pas rencontrer au coin d'un mauvais rêve! Tâchez donc d'entrer également dans ses bonnes grâces. Au revoir!

Bill Wackens ouvrit la grande porte du hall et la referma à clef derrière lui, comme l'ordonnait le règlement.

Deux lampes électriques jetaient dans la vaste pièce une chétive clarté de veilleuse.

Sur les deux côtés, c'était une longue série de cages, où s'étendaient des formes immobiles ou vaguement frémissantes.

Le gardien alluma sa torche électrique et la promena le long des grilles.

Un tigre feula doucement, un énorme lion de Nubie ouvrit d'immenses yeux de feu vert, puis, reconnaissant l'homme, poussa un grondement rassuré et se rendormit. Une hyène se mit à tourner furieusement en rond, soufflant avec fureur vers le cône de lumière qui l'aveuglait.

Bill arriva ainsi aux dernières cages, celles qui étaient vides et tenues à la disposition des futurs pensionnaires.

— C'est dans l'une d'elles que le nouveau venu doit se trouver, se dit-il.

Le rayon de sa lampe rencontra en effet une épaisse masse bourrue, tassée dans un coin.

— Allons, beau sire, montre-toi, dit le gardien d'un ton d'aimable invite.

La toison frémit à peine puis se tassa davantage.

— Je regrette, mon vieux, continua Bill Wackens, mais quand on désire faire connaissance entre gentlemen, on ne se cache pas le visage. Il faudra que je vous fasse des avances, je crois !

Il avait saisi une des longues barres de fer qui servent à pousser les cloisons intérieures et, de la pointe, fourrageait doucement dans la robe hirsute de l'inconnu.

Un hurlement effroyable s'éleva et la barre, saisie par les mâchoires de fer, fut arrachée des mains du gardien.

Bill faillit en laisser choir sa lanterne, tant l'apparition était inattendue.

Ah, le gardien-chef Mason n'avait pas menti, car jamais bête plus hideuse n'avait trouvé asile dans le Zoo.

Le corps était bien celui d'un loup monstrueux, à l'échine fortement déclive, mais la taille égalait celle d'un ours ordinaire, la toison, d'un gris fer, se tavelait de larges taches d'un blanc de neige et s'argentait nettement sur toute la tête. Et que dire de cette dernière !

Enorme et fendue par une gueule immense d'un rouge vif, ouverte sur une denture monstrueuse ! Les yeux, d'un rouge sombre dans la clarté de la torche, passaient rapidement de ce rouge à une teinte violette, puis fortement ambrée.

Cet étrange jeu de prisme eut sur Bill une influence peu ordinaire ; il se sentit comme fasciné par cette succession accélérée de couleurs différentes.

— Allons, allons, murmura-t-il avec effort, ne fais pas le méchant, je ne le suis pas non plus et tu verras que nous ferons vite une bonne paire d'amis !

Le monstre le couvait d'un regard lourd de rage et de haine où se retrouvait quelque chose d'affreusement humain.

Sous le pelage bourru, des muscles incroyables roulaient doucement, dénotant une force insensée. Après avoir rejeté la barre de fer, la bête demeura immobile, son mufle d'enfer tendu vers le gardien, puis, avec une lenteur calculée, elle s'approcha des grilles et y pesa de toute sa vigueur.

Bill se jeta en arrière, craignant de voir les barreaux fléchir et céder sous une telle pression.

Au même instant les lampes électriques s'éteignirent et seule la torche portative éclairait encore l'immense hall.

Le gardien, étonné, vira sur les talons.

La torche fut arrachée de sa main avec une violence extrême et projetée loin sur les dalles où elle vola en éclats.

Les ténèbres étaient absolues, Bill cria…

2. La consultation du tigre

— Y comprenez-vous quelque chose, monsieur Dickson ?

Le superintendant de Scotland Yard, Mr. Goodfield, répétait pour la troisième fois cette question au détective, muet et sombre.

— Reprenons les faits, continua le policier, satisfait, malgré tout, de voir son ami pour le moins aussi embarrassé que lui-même.

— Le hall des fauves était fermé à clef, et cette dernière se trouvait encore dans la serrure. La seconde issue est barricadée pendant la nuit et elle l'est encore. Les grilles qui donnent accès au public le sont toutes également et leurs fermetures ont été vérifiées avec soin, aucune d'elles ne présente la moindre trace d'effraction. Les serrures sont spéciales et, d'ailleurs, on comprendrait mal la raison d'un cambriolage : on ne vole pas un tigre dans sa cage et l'on ne kidnappe pas un lion comme un gosse.

» Le cadavre de Bill Wackens était couché au milieu de l'allée centrale, à quinze mètres de la cage habitée la plus proche : celle du nouveau loup blanc.

» Ce dernier est mort, on examine en ce moment sa dépouille dans la salle de garde, sur une table voisine de celle où les médecins légistes se penchent sur les restes de l'infortuné gardien.

— Bill Wackens semble avoir été mis en pièces par un fauve, dit Harry Dickson. A voir d'ailleurs l'état de son corps, cela ne fait aucun doute. La gorge est lacérée, le ventre ouvert, les membres rompus.

— Et pourtant toutes les cages sont fermées et rien ne manque à leurs verrous ni à leurs serrures.

Harry Dickson haussa brusquement les épaules et se mit à arpenter l'allée centrale où un cercle, tracé à la craie, indiquait l'endroit où l'on avait trouvé le cadavre du gardien.

— Mes instructions ont-elles été suivies, Goodfield ? demanda-t-il.

Le policier le lui assura avec décision.

— A tous ceux qui sont entrés ici, on a fait chausser des pantoufles de feutre, parfaitement sèches, et on leur a ordonné de ne pas s'écarter d'un étroit chemin central. Comme tous les jours, le hall a été nettoyé et récuré après l'heure de fermeture. Il n'y a donc eu que Bill Wackens, gardien de nuit, qui soit venu ici le matin avant l'arrivée des magistrats.

— D'autres gardiens ne sont pas entrés avant eux, je crois ?

— En effet. Mason, ne trouvant pas Bill Wackens à l'appel des partants, s'est dirigé immédiatement vers le hall des fauves où il avait vu entrer le gardien. Il trouva la porte fermée et la clef à l'intérieur.

» Il fit apporter une échelle et regarda aux fenêtres... Il découvrit le spectacle dans toute son horreur. Et comme vous pouvez le constater, ces très hautes fenêtres sont toutes garnies de barreaux identiques à ceux des cages.

Le détective écoutait à peine, il continuait à arpenter l'allée, les yeux rivés sur les dalles nettes et luisantes.

Tout à coup il fit halte et se pencha vivement.

Devant une série de cages où des pumas tournaient silencieusement en rond, de la sciure de bois avait été répandue et des traces très visibles s'y dessinaient : celles d'une chaussure d'homme.

Goodfield, qui le suivait sur les talons, les remarqua à son tour.

— Ce ne sont pas les lourds brodequins de Bill Wackens qui ont fait cela, dit-il, ce seraient plutôt des tennis.

— A première vue, je le concède, répondit Harry Dickson.

— A première vue seulement ? riposta le superintendant, il me semble pourtant que c'est formel : tenez, ces gaufrures sont bien celles des semelles en caoutchouc d'une chaussure de tennis.

— Je vous accorde les gaufrures, car c'est bien le mot qu'il faut employer, Goodfield, mais c'est tout. Les tennis se fabriquent en série et les figures que présentent leurs semelles sont courantes : des lignes, des cercles, des étoiles. Quant à celles-ci, elles sont d'une nature tout autre : tenez, ne dirait-on pas que les marques ont été faites par un fer à gaufrer aux carrés très profonds ?

— Ah, ça oui, murmura Goodfield, mais où voulez-vous en venir ?

— A déclarer que les chaussures qui laissèrent ces empreintes sont d'une fabrication très spéciale, elles ont été faites dans un but déterminé et peu ordinaire. Dans certains cabinets de physique électrique on vous en dirait plus long à leur sujet : ce sont des souliers isolants.

— Que signifie... ?

— Les expérimentateurs qui travaillent souvent avec des courants électriques dangereux portent au cours de leurs expériences des vêtements isolants, et leurs chaussures n'échappent pas à cette règle.

» L'homme qui portait celles-ci est ou bien de petite taille, ou très élégant et soucieux de l'exiguïté de la pointure de ses chaussures.

» J'opte pour la deuxième éventualité, car les marques très profondes, et leur espacement, font plutôt penser à un individu de taille moyenne et d'assez belle corpulence.

» Tenez, Goodfield, il dut stationner ici assez longuement, car, à cause de cet arrêt, les bords des gaufrures ont été émoussés et se sont imprimés plus largement dans la sciure. Bien... Il s'est appuyé contre la barre de cuivre qui longe les cages à distance. Voyons le cuivre qui a été passé hier à la pâte, comme l'atteste son luisant.

Une loupe fut braquée sur le métal brillant.

— Un manteau de drap très fin et humecté par la pluie, murmura Dickson en relevant de fines zébrures sur la surface polie de la barre.

— Pas d'empreintes digitales ?

— Aucune...

La porte du hall fut poussée et un gardien, se tenant prudemment sur le seuil, appela :

— On demande ces messieurs à la salle de garde !

Harry Dickson et Goodfield sortirent et fermèrent la porte à clef derrière eux. Comme il dépassait le seuil, le détective jeta un regard distrait sur le gardien venu les quérir et soudain s'arrêta :

— Tiens, une vieille connaissance ! Comment allez-vous, Bob Jarvis ?

L'homme rougit et salua gauchement.

— Très bien, monsieur Dickson ; comme vous le

voyez, je gagne honnêtement ma vie à présent et il n'y a rien à redire quant à ma conduite !

— Cela vous honore, Bob, répondit le détective, et je n'en attendais pas moins d'un homme de bonne volonté comme vous, malgré vos... malheurs.

Goodfield s'écria alors à son tour :

— Ma parole, c'est cette canaille de Jarvis ! On en a donc définitivement assez d'Old Bailey et des mois de prison que cette estimable cour de justice vous octroyait naguère si libéralement.

— Parfaitement, intendant, répondit l'homme avec franchise, le comité d'assistance aux prisonniers libérés m'a fait entrer ici comme gardien. C'est un service très dur, puisque les débutants, comme moi, sont obligés de fournir deux nuits de garde par semaine en plus de leur travail de la journée.

— Etiez-vous de garde cette nuit ? demanda Harry Dickson.

— En effet, monsieur Dickson, uniquement du côté de l'aquarium.

— Ce n'est pas si loin d'ici... Peut-être avez-vous aperçu quelque chose ?

— No... on, hésita l'homme.

— Oh, un petit quelque chose tout de même, insista le détective à qui l'hésitation du gardien n'était pas passée inaperçue.

— C'est ça, faites-moi perdre ma place, bougonna Jarvis.

— Je n'y pense pas, mon ami, mais ce n'est pas une raison pour refuser votre aide à la justice. Justice qui s'est montrée clémente quand il le fallait.

Jarvis se gratta l'oreille.

— Franchement, vous n'en direz rien au directeur ?

— Cela n'entre pas le moins du monde dans mes intentions, ni dans celles de Mr. Goodfield, affirma le détective.

— Voyez-vous, dit enfin le gardien, c'est de nouveau mon bon cœur, ou ma trop grande faiblesse pour les misères d'autrui, si vous préférez, qui m'a joué un tour. Il y a pas mal de pauvres diables dans Londres qui ne savent où coucher tranquillement. Alors, il y en a qui se laissent enfermer ici... oh, pas beaucoup, car cela se remarquerait vite. Ils dorment ainsi à leur aise, et tout leur soûl, dans la paille des écuries vides. Je n'ai pas le cœur de les chasser.

— Et qui dormait hier dans ces palaces? demanda Harry Dickson.

— Un type assez extraordinaire, il faut l'avouer; il me paraissait très malade, car il était pâle, oh! mais pâle comme un mort. On dit souvent cela pour dépeindre quelqu'un qui n'a pas bonne mine, mais celui-là... s'il n'avait pas bougé, je l'aurais cru mort depuis des jours et des jours. Il était vert, littéralement. Pas trop mal habillé, mais les pauvres honteux, qui ne courent pas tout à fait en haillons et gardent une apparence de gentlemen, ne sont pas si rares, n'est-ce pas?

» Quand je le découvris et que je lui demandai un peu rudement ce qu'il faisait là après l'heure de fermeture et, surtout, si tard dans la nuit, il s'est contenté de gémir lugubrement et, d'une main tremblante, il m'a tendu de l'argent.

» Je lui ai dit: « Garde ton pognon, t'en auras suffisamment besoin », et comme il avait l'air si malade, j'ai posé ma gourde de thé à côté de lui en l'invitant à la vider à son aise et en disant que je la retrouverais bien au matin. Ce qui fut le cas en effet, seulement, il n'y avait pas touché.

— C'est bien singulier de voir un pauvre hère refuser un présent si mirifique, remarqua Harry Dickson. Et vous ne l'avez pas vu partir après l'ouverture des grilles d'entrée?

— Non, d'ailleurs elles n'ont été ouvertes que pour donner accès au personnel et aux gens de la police. Mais l'homme n'a pas dû rencontrer de bien grandes difficultés pour quitter le Zoo, car du côté des halls des singes, par exemple, les murs sont fort bas, et, une fois le soleil levé, il n'y a plus de surveillance.

— Bob, dit le détective, veuillez dire à ces messieurs qui nous attendent au corps de garde de vouloir patienter encore quelques minutes. Nous allons d'abord faire un tour aux écuries et, notamment, dans celle où votre protégé passa la nuit.

— Elle est toute proche... vous la voyez d'ici. Bonne chance, messieurs !

L'écurie désignée par Bob Jarvis était de dimensions restreintes ; jadis elle abritait deux couples de lamas et de zébus, mais, désaffectée depuis, elle ne servait plus qu'au remisage de la paille.

— C'est bien le cas de dire que nous allons chercher une aiguille dans une meule de foin, dit Goodfield, goguenard.

Harry Dickson regardait attentivement autour de lui, s'aidant du jet de lumière d'une forte lampe de poche.

— Rien, murmura-t-il, déçu, mais soudain il releva la tête et aspira longuement l'air.

— Drôle d'odeur, hein, Goodfield ?

— Maintenant que vous me le dites, je le trouve également, répondit le policier, mais je ne pourrais vraiment vous en dire la nature.

Le détective prit une poignée de paille et l'approcha de ses narines.

— Voici, fit-il triomphalement, l'homme a dû s'allonger à cet endroit, et c'est lui qui a communiqué cette odeur peu ordinaire à la paille. Je vais conserver précieusement ces fétus.

Comme ils quittaient l'écurie pour se diriger vers l'endroit où on les attendait, le détective fit brusquement demi-tour et retourna vers le hall des fauves.

— Vous avez oublié quelque chose ? demanda Goodfield.

— Non, je vais consulter quelqu'un !

— Dans le hall des fauves ? Mais il n'y a personne !

— C'est ce qui vous trompe, il est peuplé au contraire, et de créatures de fort bon conseil en la matière !

— Mais qui ? s'exclama Goodfield avec impatience.

— Les tigres, mon vieil ami... les tigres !

Goodfield secoua la tête, mais il connaissait trop son génial confrère pour oser le contredire longtemps. Son incompréhension se mua vite en stupeur quand il vit Harry Dickson s'approcher de la cage d'un splendide tigre sibérien et lui présenter de loin la poignée de paille emportée de l'écurie.

D'abord le grand félin ne bougea guère, mais bientôt des frissons coururent sur son échine, son regard s'emplit d'une brève flamme et, tout en exhalant un rauquement hargneux, il poussa la tête contre les barreaux de sa prison et essaya d'attraper, du bout des dents, quelques-uns des fétus.

— Voilà, s'écria triomphalement le détective, la consultation est finie, le tigre a merveilleusement répondu.

Goodfield, étonné et déçu en même temps, grommela, mais son ami continua sur le même ton réjoui :

— Nous connaissons à présent la nature du parfum de l'écurie, mon cher Goodfield, c'est le *giseng*, la fameuse herbe à tigres, dont l'odeur attire de loin ces redoutables fauves, je ne sais pas bien pourquoi, mais c'est un fait constaté de tout temps.

— Et à quoi cela nous sert-il de savoir cela? bougonna le superintendant encore mal convaincu.

— C'est énorme, Goodfield, répondit gravement le détective, quand on songe que le *giseng* est une plante des plus rares et que je ne connais pas l'existence d'un seul de ses plants dans tout Londres, malgré nos merveilleux jardins botaniques! Dans Londres, que dis-je, dans toute l'Angleterre, et sans doute même sur tout le continent!

Le brave policier se contenta de secouer la tête et de murmurer :

— Vous savez, monsieur Dickson, en face de pareilles sorcelleries, je me récuse toujours et je vous laisse faire... Ah, s'il s'agissait d'un bon crime avec recours au couteau et au revolver, et même au cyanure de potassium, je ne dis pas... mais l'herbe qui fait éternuer les tigres!

— Aussi nous laisserons dormir ce détail pour le moment, Good, et nous ne lasserons pas davantage la patience de notre ami le Dr Mills, médecin légiste aux indiscutables mérites.

Toutes les lumières allumées dans le corps de garde

suppléaient au jour avare que lui dispensaient deux étroites fenêtres grillagées.

Le petit Dr Mills, affairé comme une fourmi, attira le détective et son collègue vers la table, où gisaient les restes affreusement sanglants du pauvre Bill Wackens.

— L'homme a été victime d'un fauve en furie, c'est indiscutable. Les traces des griffes sont trop visibles pour oser le nier.

— Un fauve, en l'occurrence, ne fait pas uniquement usage de ses griffes, lui murmura Dickson à l'oreille.

Le médecin le regarda, une lueur de surprise dans les yeux.

— Tiens, fit-il naïvement, c'est très juste ce que vous dites là, mon cher Dickson, mais je n'ose affirmer que les crocs du monstre soient entrés en jeu, au contraire. Les muscles du cou et du ventre ont été arrachés et labourés, mais non déchiquetés. A part des fractures des membres supérieurs, il n'y a aucun os broyé ni même brisé ; quant aux fractures précitées, elles sont nettes, très nettes...

Le détective se tourna vers la seconde table, où se trouvait la formidable dépouille du loup blanc.

— A votre avis, docteur, ce fauve pourrait-il être le coupable ?

Mills nia énergiquement.

— Il n'en est pas question. Dans un cas pareil les griffes et, surtout, la toison des pattes présenteraient des souillures très nettes. Il n'y en a pas, oh ! pas l'ombre !

— Comment est-il mort, celui-là ? demanda Goodfield.

— Une balle dans le poitrail, mais quelle balle ! Explosive, et comment ! le cœur et les poumons ne forment plus qu'un vaste amas de chairs déchirées et de sang. L'animal a dû être foudroyé.

— Comment êtes-vous entré en possession de ce nouveau et éphémère pensionnaire ? demanda Harry Dickson au sous-directeur du Zoo, présent à l'enquête.

— Très régulièrement, monsieur. Ce sujet a été acheté par nous à un parc de fauves allemand, spécialisé dans ce genre de commerce. Une correspondance assez longue avait été échangée à son sujet depuis plus de trois mois. Elle est à votre disposition au bureau du comptable.

— Et c'est hier qu'il est arrivé à Londres ?

— C'est-à-dire, sir, qu'il est arrivé hier après-midi au Zoo. Il était à Londres depuis deux jours, à bord du cargo allemand *Frauenlob*. Il nous a fallu passer par les formalités d'usage avant d'obtenir le permis de débarquement, ce qui fait toujours perdre au minimum deux journées.

— Mes questions vous sembleront peut-être quelque peu saugrenues, monsieur le directeur, mais j'espère que vous m'en excuserez d'avance. Comment l'idée vous est-elle venue de faire l'acquisition de ce sujet ?

Le sous-directeur sourit avec condescendance.

— Nous aimons acheter ce qui est rare et nous savons y mettre le prix quand il le faut. Nous connaissions depuis trois mois l'existence de ce loup blanc dans les parcs de l'éleveur Pfefferkorn, par le mémoire que nous présenta à son sujet un des membres les plus distingués de la commission du Zoo, la doctoresse Luciana de Haspa, de Lisbonne.

— Membre correspondant sans doute ?

— En effet, mais résidant à Londres depuis bientôt six mois, et nous prêtant une collaboration aussi remarquable que désintéressée.

— Une créature magnifique, murmura pensivement le détective, et d'une brillante intelligence. J'ai assisté à quelques-unes de ses conférences sur la vie de la jungle.

— Elle est portugaise, continua le sous-directeur, mais elle ne le restera sans doute pas : elle est fiancée à un de nos savants les plus distingués, le Dr George Huxton.

On contresigna les procès-verbaux d'usage et le Dr Mills délivra le permis d'inhumer du malheureux Bill Wackens.

— Goodfield, dit le détective quand ils furent seuls, voulez-vous me délivrer un mandat d'arrêt...

— Déjà ? s'écria le policier, émerveillé, diable d'homme, vous connaissez donc le coupable ?

— Ce n'est pas toujours des coupables qu'on arrête et qu'on incarcère, dit lentement Harry Dickson, et il se pourrait bien que tel soit le cas.

— Hum... marmotta le superintendant, c'est assez grave, mais, du moment que vous en prenez la responsabilité, je m'incline. A quel nom faut-il le remplir ?

— Au nom du Dr George Huxton, c'est probablement le seul savant de Londres, sinon d'Angleterre, qui porte des chaussures isolantes, pareilles à celles dont nous avons relevé les traces dans la sciure, mon ami.

3. Luciana de Haspa

Goodfield quitta Harry Dickson à la porte du Zoo et prit place dans la voiture de police qui devait le reconduire à Scotland Yard, tandis que le détective héla un taxi dans Albert Road.

Arrivé à la hauteur de St. John's Wood Road, le feu passa au rouge et la voiture stoppa à la suite d'une longue file d'autos, de taxis et de camions.

Au même instant la portière fut ouverte et une forme svelte s'engouffra sans crier gare dans le taxi et se laissa tomber au côté de Dickson.

— Pardon, madame... la voiture est occupée, dit poliment Dickson, mais si vous le voulez bien je vous ferai conduire jusqu'à la prochaine station de taxis.

— C'est trop près, sir, dit une voix harmonieuse, et ce que j'ai à vous dire prendra, je le crains, un peu plus de temps.

Une fine voilette fut soulevée et le détective contempla un superbe visage de femme aux immenses yeux sombres et au teint légèrement doré.

— Mademoiselle de Haspa ! s'écria-t-il, surpris.

— Très heureuse d'être reconnue par Harry Dickson, répondit une voix gouailleuse, mais, comme je vous ai rencontré trois fois à mes humbles conférences, ce serait faire injure à votre mémoire que de croire le contraire. Damnée histoire, n'est-il pas vrai, monsieur le détective?

— Déjà au courant? demanda Dickson à mi-voix.

— Cela n'a rien d'étonnant, sir. J'attendais avec impatience le moment d'être mise en face du fameux loup blanc acquis par le Zoo, sinon par mon entremise tout au moins un peu par ma faute.

» Je me suis présentée à la grille dès l'heure d'ouverture et, malgré ma carte de membre, je me vis refuser l'accès du parc.

» J'ai obtenu toutes les excuses et toutes les explications possibles, cela se conçoit.

— Cela se conçoit, répéta Dickson en écho.

— Je vous comprends, riposta la jeune femme, vous répétez mes paroles, ou bien vous songez à me débiter quelques lieux communs, histoire de gagner du temps et de pouvoir réfléchir. J'ai entendu l'adresse que vous avez jetée au chauffeur de votre taxi... Allez-vous l'arrêter?

Harry Dickson dissimula mal un geste de surprise.

— Arrêter qui?... fit-il d'une voix mécontente.

— George Huxton, qui d'autre que lui?

— Et pourquoi pas un autre?

— J'ai vu de loin Mr. Goodfield signer un papier dont je connais le format et la couleur, c'est un mandat d'arrêt en bonne et due forme.

— Mademoiselle de Haspa, dit sèchement le détective, je regrette de devoir vous prier de descendre de voiture, je ne puis continuer une conversation sur un sujet aussi... délicat.

Un éclair de colère brilla dans les yeux noirs de la jeune savante, mais disparut bien vite. L'intonation de sa voix se fit suppliante.

— Je suis la fiancée de George Huxton, murmura-t-elle avec peine.

— Je le savais, et peut-être même oserai-je vous en féliciter, mais que ceci vous suffise, mademoiselle.

— A vous entendre, on ne dirait pas que vous croyez à la culpabilité de George, sinon vous ne me féliciteriez pas.

— Cela aussi est exact.

— Dans ce cas, vous manigancez des choses vraiment singulières. Si vous arrêtez George, parce que vous le croyez coupable, vous êtes dans votre droit.

» Sinon... Sinon...

Son front se plissa sous l'effort de réflexion.

— Sinon, c'est que vous voulez le mettre en sécurité !

Harry Dickson ne répondit pas, mais son visage exprima un embarras extrême.

— Et s'il en était ainsi ? dit-il enfin.

— Dans ce cas, je vous supplierais de me laisser vous accompagner auprès de lui, pour lui dire toutes les paroles de réconfort dont il aura grand besoin.

— Ce désir est légitime, mademoiselle, répondit le détective, vaincu, vous m'accompagnerez donc chez le Dr Huxton.

— Et je vous aiderai, s'écria-t-elle avec énergie, je vous aiderai à éclaircir cet horrible mystère !

— Je ne demande pas mieux, dit-il avec sincérité.

Pendant le restant du trajet, ils n'échangèrent plus un mot.

Luciana de Haspa se cala dans les coussins de la voiture et baissa sa voilette sur les yeux ; seul le tremblement de ses belles mains blanches trahissait un reste d'émotion chez elle.

Le taxi, après avoir suivi l'interminable Algernon Road, tourna vers les confins de Lewisham et s'arrêta devant la haute porte de ferronnerie de la maison du Dr Huxton. Luciana sonna et, au bout d'un temps passablement long, un guichet s'ouvrit avec précaution dans un des vantaux.

— C'est moi, Transome, dit la jeune femme, ce gentleman m'accompagne, vous pouvez nous ouvrir.

Le domestique hésitait visiblement.

— Je ne crois pas que le docteur soit chez lui, dit-il.

— Ouvrez tout de même, ordonna Dickson d'une voix qui n'admettait aucune réplique.

De lourds verrous glissèrent et un triste hall en pierre grise reçut les visiteurs.

— Le laboratoire est fermé ? demanda Luciana.

— C'est-à-dire, mademoiselle, que le père Cabuy s'y

trouve, le seul qui ait l'autorisation d'y mettre les pieds en dehors du maître... et de vous.

— Dans ce cas nous y allons...

— Mais ce gentleman... vous savez bien, mademoiselle, sauf votre respect, que les ordres sont formels à ce sujet.

— Je prends toutes les responsabilités sur moi, trancha la jeune femme. Venez, monsieur Dickson, je vous montre le chemin.

Après un trajet relativement long à travers un dédale de couloirs et de halls, Harry Dickson vit s'ouvrir devant lui la porte du laboratoire particulier du Dr Huxton.

Tout y était comme au moment où le docteur le quitta la veille ; seulement, les machines étaient arrêtées et les lampes et appareils témoins éteints et muets.

— Cabuy ! appela Mlle de Haspa.

Un glissement feutré se fit entendre et, entre une haie de machines et d'appareils électriques, apparut un singulier bonhomme.

Il marchait plié en deux, s'aidant d'une canne à bout de caoutchouc ; une broussaille de barbe blanche mangeait sa figure ratatinée comme une pomme d'hiver, tandis que des yeux fatigués luisaient à peine derrière les verres bombés d'énormes lunettes d'écaille.

— Ah, mademoiselle Luciana, dit-il d'une voix chevrotante, c'est vous ! Le patron n'y est pas, comme vous le voyez.

— Depuis quand est-il parti ? demanda-t-elle.

Le père Cabuy haussa ses maigres épaules.

— Son lit n'a pas été défait, mais cela lui arrive souvent, quand il reste des nuits entières à travailler et à étudier.

— Dans ce cas il faudra fermer le laboratoire, père Cabuy.

Le vieux secoua doucement la tête, et soudain Harry Dickson sursauta.

Une voix claire et impérieuse venait de s'élever :

— Le père Cabuy est autorisé à demeurer dans le laboratoire afin d'y entretenir les machines et les faire fonctionner s'il le juge utile. En mon absence, il y est le seul maître !

— George ! s'écria Luciana de Haspa.

Mais le vieux surveillant fit un signe.

— C'est moi qui ai mis en marche le gramophone par lequel le maître est habitué à donner ses ordres... Faites donc attention, mademoiselle !

Luciana de Haspa s'était jetée en arrière avec un cri d'effroi.

Un long serpent de feu violet se contorsionnait dans l'air, entre la table et le plafond.

— Là, dit le vieux d'une voix tranquille, il ne faut jamais toucher aux objets ici présents sans savoir ce que l'on fait, surtout à cette table. Un moment de plus, mademoiselle, et un courant de trois mille volts vous foudroyait.

— J'ignorais ces précautions, balbutia la jeune femme.

— Elles n'ont dû être prises que depuis hier, répondit le père Cabuy.

— Mais dans ce cas vous courez un réel danger vous-même, mon brave, intervint Harry Dickson.

Le vieux eut un geste insouciant.

— Oh, moi, cela me connaît, ces choses, je sais toujours ce que j'ai à faire et à ne pas faire quand j'entre ici. Avez-vous encore quelque chose à me demander ?

— Quand avez-vous vu pour la dernière fois le Dr Huxton ? demanda le détective.

Le vieux réfléchit, faisant un laborieux retour dans sa mémoire.

— Hier après-midi, exactement à trois heures six. Je regarde toujours la grande horloge électrique que voilà en entrant dans le laboratoire. Il était assis à cette table et examinait un tube de quartz qui avait sauté.

» Il m'a dit : « Père Cabuy il faudra mieux régler le courant désormais, car voici perdu un de nos meilleurs tubes. »

» J'ai nettoyé les microscopes et les miroirs paraboliques jusqu'à quatre heures, exactement, et, à quatre heures deux, je suis parti, en souhaitant le bonsoir au maître, comme toujours.

— De pareils laboratoires sont souvent des lieux de péril, dit Harry Dickson, je suppose, père Cabuy, que vous portez des vêtements isolants ?

Le vieux secoua sa tête chenue.

— Jamais, je n'en ai pas besoin. Quand les machines à haute tension sont en marche, le maître s'en revêt, mais alors je ne suis pas dans le laboratoire.

— A quelles expériences le docteur se livrait-il ces derniers temps ?

— Comment le saurais-je ? Je nettoie, je fais quelques menues réparations, je connais la manière de me conduire avec les machines électriques et les autres, mais je ne me soucie pas de leur raison d'être, cela regarde le maître, pas moi. Je n'ai jamais cherché à comprendre et je sais aussi que je n'y serais pas parvenu. Je ne me suis jamais occupé que de mes affaires.

Le petit vieux leur tourna le dos et disparut derrière une immense machine de Ramsden aux triples disques de verre. Quelques instants plus tard, on l'entendit s'affairer autour d'un lavabo lointain, d'où ruisselaient d'épais et bruyants jets d'eau.

— Et pourtant Huxton est revenu ici, murmura le détective.

Luciana se tourna vivement vers lui.

— Comment le savez-vous ?

Harry Dickson avait ramassé du bout des doigts quelques menues poussières de sciure de bois, éparses sur le plancher.

Il les déposa précautionneusement sur un feuillet de papier blanc, qu'il plia et glissa dans son portefeuille ; comme il faisait cela, Luciana huma soudain l'air.

— C'est vous qui répandez cette odeur, dit-elle tout à coup en regardant fixement le détective, oui... ce ne peut être que vous, car je ne l'ai sentie qu'au moment où vous avez tiré votre portefeuille de votre poche.

— Je crois que vous avez raison, dit-il.

Mais il s'étonna du changement qui venait de s'opérer chez la jeune femme.

Ses grands yeux noirs prenaient une fixité effrayante et sa bouche se pinçait, hostile et menaçante.

— J'ai été sincère avec vous, murmura-t-elle d'une voix contenue, mais il s'agit de jouer franc jeu avec moi, même si vous êtes Harry Dickson !

— Pourquoi ne le ferais-je pas ? riposta le détective, ne vous ai-je pas donné suffisamment de marques de confiance ?

— Peut-être... vous croirai-je quand vous me direz d'où vous vient ce parfum !

Harry Dickson réfléchissait... Fallait-il se taire et laisser la méfiance se glisser entre eux ? Au fond, que savait-il de Luciana de Haspa ? Peu de chose en somme. Et s'il abattait son jeu ? Tant pis pour lui s'il se trompait, mais, averti comme il l'était, il n'aurait qu'à redoubler de vigilance.

Il se décida pour la seconde solution et tira la petite poignée de paille de sa poche.

— Voici pourquoi je l'ai emportée, dit-il, en lui racontant, en aussi peu de mots que possible, sa découverte du matin.

Luciana de Haspa était devenue livide, et sa respiration soulevait par saccades sa superbe poitrine.

— Monsieur Dickson, murmura-t-elle enfin, c'est terrible... épouvantable... Non, je ne puis trouver le mot d'horreur qu'il me faudrait pour exprimer toute mon angoisse.

— Voyons, parlez, je vous en supplie, fit le détective ému, malgré lui, par l'effroi de la jeune savante.

— L'homme pâle, gémit-elle, votre Bob Jarvis a parlé d'un homme hideusement pâle, oh ! monsieur Dickson, la dernière des abominations est tout près de nous !

Elle s'était accrochée à son bras et ressemblait à une bête traquée dans ses derniers retranchements.

— Il me faudra fuir, et vous aussi, monsieur Dickson... Nous ne pouvons rien pour George en ce moment, peut-être plus tard, quand nous aurons réfléchi.

— Et pourquoi fuirais-je ? demanda-t-il, ébranlé mais encore incrédule.

— Parce que des créatures d'une puissance formidable ne toléreront pas que vous arriviez un jour jusqu'à elles !

— Vous parlez par énigmes, mademoiselle de Haspa !

— Et je ne puis faire autrement, s'écria-t-elle en se tordant les mains avec désespoir. Venez... il est peut-être encore temps ; chaque instant que nous perdons ici nous rapproche d'une fin abominable entre toutes !

» Quand nous serons dans une retraite sûre, je pourrai parler de prendre, de concert avec vous, des dispositions défensives.

— Un instant, dit le détective, le temps de donner un ordre par téléphone à mon élève Tom Wills.

Il décrocha le récepteur et demanda son numéro de Bakerstreet.

Tom Wills fut immédiatement au bout du fil.

— Maître, c'est vous ! s'écria le jeune homme dès que Dickson se fut fait connaître, et avant même qu'il pût dire un mot. Je suis bien content de vous entendre, je viens d'éconduire un visiteur des plus étranges.

» Ah, Mrs. Crown, notre gouvernante, en est malade ! Figurez-vous un bonhomme maigre comme un clou, grand comme Goliath, il a poussé la porte avec une force telle qu'il a failli écraser la bonne dame contre le mur.

» Alors, d'une voix affreuse, il a demandé à vous voir.

» J'ai dit que vous n'étiez pas là... il avait l'air de ne pas me comprendre, et je ne pouvais détacher mes regards de son atroce visage. Il n'était pas pâle, mais vert, et ses yeux étaient plutôt des cavités que des yeux. Je l'ai repoussé vers la porte, mais autant valait pousser le mur lui-même. Et soudain une chose terrible arriva.

» Il voulut me sauter à la gorge...

» Je me suis jeté en arrière et j'ai pris mon revolver. J'ai tiré en plein visage... J'ai vu le trou rond de la balle dans son front, mais pas une goutte de sang ne coula !

» Alors l'homme se retourna et il repartit dans la rue, où il disparut avec une extrême vélocité.

» Maître... que nous arrive-t-il ? Avec une blessure pareille il aurait dû tomber foudroyé !

— Tom, dit le détective, ne vous effrayez pas, cet homme ne vous en veut pas, c'est après moi qu'il en a. Je serai absent pendant quelque temps de Londres. Si je le juge nécessaire je vous donnerai de mes nouvelles. Au revoir, le temps presse !

Quand il raccrocha l'appareil, il vit que Luciana de Haspa avait utilisé l'écouteur témoin.

Elle chancelait comme une femme ivre.

— Qui est cet homme pâle ? demanda-t-il.

— Je ne le sais pas...

— Et pourquoi Tom ne l'a-t-il pas tué ?

— Cela, cria Luciana d'une voix déchirante, je pense pouvoir vous le dire, Dickson... oh ! ne croyez pas que je sois folle. Votre élève n'aurait pu le tuer parce que... parce que... cet homme était déjà mort !

4. La rencontre singulière

Plus tard, Harry Dickson dut se demander souvent à quelle force mystérieuse il avait obéi en suivant, sans plus attendre, une inconnue sur le chemin de l'exil.

Car ils avaient fui, littéralement, ne s'adressant plus la parole pendant des heures, changeant à tout propos de taxi et de train, mus par une peur panique que le détective essayait en vain d'enrayer au fond de son être, sans toutefois y parvenir.

C'est ainsi qu'ils arrivèrent à Glennock.

Glennock est une misérable bourgade du sud de l'Ecosse, sur la rivière Tweed, où s'égarent de temps à autre quelques touristes à petite bourse.

Les derniers étaient partis, la semaine précédente, de l'unique auberge, aussi y fit-on fête aux clients inespérés qu'étaient le détective et sa compagne.

— Certes, consentit l'aubergiste, le temps n'est pas au beau fixe, mais vous pouvez encore espérer de belles journées de l'arrière-saison. Si vous aimez pêcher, je vous indiquerai de bons endroits à truites dans la partie de la rivière dont je suis concessionnaire. Aimez-vous les excursions ? Les buts de promenade ne manquent pas.

Luciana de Haspa avait examiné les chambres avec

une attention presque maladive, et, quand elle fut seule avec son compagnon de voyage, elle parla comme l'aurait fait un commandant de troupes en campagne.

— Les fenêtres dominent la vallée du nord et un bout de la plaine, nous pouvons même, à l'aide de nos jumelles, surveiller en partie la montagne.

» Il serait difficile à quiconque de nous approcher sans être vu.

»Les serrures sont excellentes, ce qui n'arrive pas souvent en de pareilles auberges, et les portes sont solides.

— Au fond, que craignez-vous? grommela Harry Dickson.

Elle haussa les épaules avec colère.

— Tout et tous, nous sommes à la merci du diable!

Sur ces mots, elle courut s'enfermer dans sa chambre et laissa le détective seul dans la pièce sinistre et enfumée servant de salle à manger et de salon aux clients de l'établissement.

L'aubergiste vint l'y rejoindre, estimant devoir se montrer loquace.

— Glennock n'aurait rien à envier aux autres stations de villégiature, affirma-t-il, si les moyens de communication étaient meilleurs. Mais que pouvons-nous attendre d'un petit train d'intérêt local qui s'arrête, deux fois par jour, à une gare située à quatre miles du village même? Ah! si nous avions des routes convenables, passe encore, mais c'est à peine si elles sont carrossables! Un automobiliste qui se soucie de sa voiture ne la lance pas dans cette suite de chemins creux parsemés de profondes fondrières.

» Par contre, sir, si vous recherchez la tranquillité et la paix, vous êtes servi à souhait, je vous le jure!

— C'est précisément ce que je désire et ma compagne de voyage également, répondit le détective.

— Pourtant, continua l'hôtelier, la tranquillité s'accommode parfois fort bien d'une bonne compagnie. Vous la trouverez ici, sir, et notamment en la personne du maître d'école, Mr. Gabriel Thorne, un homme de science et de bien agréable conversation. Un vrai savant, qui a fait grand honneur à Glennock en s'y établissant. Ce n'est pas qu'il ait besoin d'exercer une profession quelconque, car il est fortuné et possède aux confins du village une belle demeure, où vous serez certainement le bienvenu. Il a beaucoup voyagé dans sa jeunesse et il aime raconter ce qu'il a vu à travers le vaste monde. Il prend ici ses repas du soir quand il y a du poisson frais, ce qui est le cas aujourd'hui. Vous ferez donc sa connaissance à la table d'hôte.

Harry Dickson écoutait le bavardage du brave homme, non sans plaisir. Il se disait qu'il serait heureux, dans cet endroit désolé, de rencontrer quelqu'un qui pût rompre son silencieux tête-à-tête avec l'énigmatique Luciana de Haspa.

— Je serais très heureux de faire la connaissance de Mr. Thorne, dit-il.

— Au coup de sept heures, vous le verrez arriver, déclara triomphalement le bon aubergiste.

A ce moment la servante entra pour dire que la dame de Londres ne descendrait pas pour souper et prendrait son repas dans sa chambre.

Harry Dickson réprima difficilement un geste de satisfaction et, en regardant la grande horloge écossaise, il vit les aiguilles s'approcher de l'heure où le maître d'école ferait son entrée.

Il avait soif de rencontrer d'autres visages et d'autres voix.

Les sept coups sonnèrent sur le timbre fêlé et il entendit la voix de l'hôtelier souhaiter le bonsoir à un visiteur entrant dans le corridor.

L'instant d'après, la porte fut poussée et le détective se trouva devant le plus singulier bonhomme qu'il eût jamais vu.

Long, maigre, le visage ascétique, les yeux sombres et ardents, Mr. Gabriel Thorne ressemblait à s'y méprendre au don Quichotte de Cervantès.

La large cape de velours sombre, l'immense sombrero de feutre et les hautes jambières de cuir noir qu'il portait ajoutaient à cette illusion.

— Blacksmith Esq., ainsi l'hôte présenta-t-il pompeusement Harry Dickson, d'après le nom inscrit au registre... le Dr Thorne.

— Je suis on ne peut plus charmé, répondit le maître d'école d'une voix de basse profonde, comment allez-vous, monsieur Blacksmith ?

Le souper fut promptement servi et il faisait honneur à l'auberge de Glennock, avec ses truites grillées au feu clair, ses pâtés d'anguille et ses marinades de saumon, le tout arrosé d'une bière capiteuse et d'un whisky honorable.

A l'encontre de ce que l'hôte avait prétendu, Mr. Gabriel Thorne se montrait peu causeur, et sa conversation se limita à des politesses et à des lieux communs échangés d'une voix égale.

Au dessert, constitué par un majestueux gâteau aux avelines, et rehaussé d'un vieux cherry-brandy tiré des réserves de l'hôte, le maître d'école sembla retrouver un peu d'éloquence.

Il disserta d'une manière très heureuse sur les voyages de jadis et ceux d'aujourd'hui, et finit par demander au détective ce qu'il comptait visiter dans la région au cours de ses excursions.

— Mon Dieu, répondit Harry Dickson, je suis venu chercher un peu de repos pour ma nièce et pour moi dans cet endroit isolé, et par conséquent tranquille. Si vraiment il y a des choses intéressantes à y voir, ce sera tout bénéfice, pour elle comme pour moi.

— Je vous conseille la montagne, lorsqu'il ne pleut pas, cela va sans dire, déclara le Dr Thorne, il y a quelques beaux points de vue. Les bords de la rivière Tweed ne manquent pas de pittoresque quand on remonte vers sa source. Je suppose...

Il se tut et regarda par-dessus son épaule.

L'aubergiste quitta en ce moment son comptoir pour retourner auprès de ses fourneaux, et le maître d'école en parut satisfait.

— Je suppose que vous aimerez visiter le manoir des araignées ?

— Le manoir des araignées ? Fi ! le vilain nom, répondit le détective en riant, il est évident que j'irai le voir.

— On dirait que c'est la première fois que vous entendez ce nom ?

— Certainement, affirma Harry Dickson en toute sincérité.

— Et votre... nièce ne vous en a jamais parlé ?

— Mais non... comment aurait-elle pu le faire ? fit Dickson tout étonné.

— Elle n'est donc jamais venue dans le pays ?

— Non, du moins je ne le crois pas... Pardonnez-moi, docteur, il me semble que vous mettez une sorte de méthode à me questionner, dit le détective d'un ton mi-figue, mi-raisin.

— Vous avez raison, je vous interroge, mais dans votre intérêt, soyez-en certain.

Le ton grave du bonhomme faisait impression sur le détective ; d'ailleurs, ne vivait-il pas depuis des jours dans l'illogisme ?

En examinant plus attentivement son interlocuteur, Dickson se sentait surpris par la vaste intelligence reflétée par ses traits ascétiques et l'éclat magnifique de ses yeux noirs.

— Il y a trois mois, continua Mr. Thorne d'une voix volontairement assourdie, votre... nièce est venue dans le pays. Elle voyageait en automobile avec un gentleman qui conduisait la voiture. Ils ont visité le manoir des araignées. Elle ne m'a pas vu alors, mais moi je la vis. Tout à l'heure, quand je me dirigeais vers cette auberge à l'heure du souper, un rideau se souleva à une fenêtre de l'étage, celle de sa chambre sans doute.

» Alors je vis... qu'elle me vit.

— Docteur Thorne ! s'écria nerveusement le détective, où voulez-vous en venir ? Quelle importance y a-t-il que cette... dame vous ait vu ou non ?

— Enormément, laissa lentement tomber le maître d'école, énormément, car je suppose qu'à ce moment elle doit avoir quitté cette auberge sans esprit de retour, monsieur Dickson !

Le détective resta tout un temps sans dire un mot, enfin il murmura :

— Ainsi vous me connaissez, monsieur Thorne ?

L'autre acquiesça gravement.

— Vous n'avez d'ailleurs pris aucune peine pour dissimuler vos traits et un lecteur attentif des journaux d'information aurait pu en faire tout autant. Seulement, je ne suis qu'à moitié surpris de vous trouver dans le sillage de Mlle de Haspa.

— Comment, vous connaissez son nom également ?

— Et peut-être bien davantage, mais cela est une autre affaire. Je suis en droit de supposer que cette personne, très habile et très intelligente, a immédiatement compris qu'elle ne pourrait avoir meilleur protecteur que Harry Dickson ?

— Vous estimez donc qu'elle a besoin de protection ? demanda le détective.

— Oui, j'en suis même convaincu.

— Un danger la menace ?

— Certainement.

— Et connaissez-vous la nature du péril ?

— Peut-être, répondit évasivement le sosie de don Quichotte.

— Pourtant, vous venez de reconnaître vous-même qu'elle s'est enfuie en vous voyant ; seriez-vous un danger ?

Les yeux noirs du Dr Thorne lancèrent un éclair.

— Je pourrais en être un, mais pas dans le sens qu'on se plaît d'imaginer un danger, dit-il de sa belle voix grave.

— Passons pour le moment, docteur, dit le détective qui avait reconquis tout son sang-froid et qui sentait avec joie que la bizarre indécision qui était sienne depuis son départ de Londres diminuait rapidement pour refaire place à toutes ses anciennes facultés de pensée et d'action.

» Ainsi, vous croyez que Mlle de Haspa avait un but en venant ici ?

— Mais certainement elle en avait un ! s'écria le savant avec une surprise non feinte, pensez-vous qu'une femme comme elle puisse agir autrement que dans un but déterminé ?

— Et ce but ?

— Le manoir des araignées, d'abord, et votre présence à ses côtés dans cette singulière et tragique demeure.

— A qui appartient ce château au nom romantique ?

— Pendant des siècles, il fut la propriété d'une vieille famille de hobereaux du pays, qui s'est ruinée tout doucement. Depuis deux ans… au Dr George Huxton, de Londres !

— Non ! s'écria Harry Dickson.

Mais il se reprit et demanda à son compagnon le temps de réfléchir quelque peu.

— C'est bien ce que j'attends de vous, monsieur Dickson, dit aimablement le Dr Thorne, après réflexion de votre part, notre entretien ne sera que plus aisé.

Calmement le détective fumait sa pipe, suivant des yeux les minces volutes qui s'écrasaient contre les poutres noircies du plafond bas. Quand le dernier jet de fumée se fut dissous dans l'air, il posa sa pipe sur la table, vida son verre de cherry-brandy, accepta du geste l'offre du Dr Thorne de le remplir et dit :

— On vous appelle docteur, monsieur Thorne, êtes-vous docteur en médecine ?

— Non, en sciences naturelles.

— Très bien, j'en suis fort aise, car je pourrai vous poser des questions auxquelles bien d'autres ne sauraient répondre. Connaissez-vous des cas de lycanthropie ?

Le maître d'école sourit.

— A la bonne heure, voici que je retrouve enfin Harry Dickson. La définition de cette maladie, car c'en est une, est ainsi donnée dans les livres : *Espèce d'aliénation mentale, dans les accès de laquelle le malade se croit changé en loup.*

— Et se conduit-il comme tel ?

— Souvent, en effet.

— Connaissez-vous des cas ?

— En Europe, ils sont rares et se limitent à quelques régions des Balkans. En Angleterre, les derniers cas furent constatés au début du XVIIIe siècle. Ils sont plus nombreux en des pays lointains, comme l'extrême Sibérie par exemple, surtout dans la région limitrophe de la Mandchourie.

— Le Dr Huxton pourrait-il être un lycanthrope ?

Gabriel Thorne demeura quelques minutes silencieux.

— Je ne crois pas qu'il le soit, dit-il enfin.

— Mais se peut-il qu'il y ait un malade de ce genre dans son entourage ?

— Cela, dit vivement le docteur, cela je le crois.

— Qui donc ? demanda avidement le détective.

Son compagnon secoua la tête.

— Vous m'en demandez trop, je ne le sais pas.

Harry Dickson se pencha brusquement vers lui.

— Connaissez-vous l'existence des hommes pâles... des hommes hideusement pâles ?

Le Dr Thorne se rejeta en arrière.

— Les hommes pâles... qu'en savez-vous ? balbutia-t-il.

— L'un d'eux a failli me tuer...

— Où cela... ici ?

— Non, à Londres !

— Comment les hommes pâles sont-ils à Londres ? hurla le maître d'école.

Il se prit la tête entre les mains en gémissant.

— Ah !... l'imprudent... Ah ! le malheureux !

— De qui voulez-vous parler ?

— Mais du Dr Huxton, de qui d'autre parlerais-je ? s'écria le savant.

— Ces hommes... dit Dickson à voix basse, sont-ils réellement morts ?

Gabriel Thorne ne répondit pas, il vida son verre d'un trait et fixa ses magnifiques yeux noirs sur le détective.

— Ecoutez, dit-il.

5. Le pays interdit

Le lecteur remarquera que nous quittons ici Glennock pour suivre le Dr Thorne dans son récit, qui se situe en extrême Sibérie, quelques années avant les événements que nous venons de relater, et où Harry Dickson se trouva mêlé. (Note de l'auteur.)

Le petit groupe atteignit la rivière Ingoda vers le soir. Il était composé d'un Européen, de quatre porteurs, d'un guide iakoute, et avançait avec peine, courbé sous un vent furieux descendant de la farouche montagne des Iablonovyï.

L'Européen donna l'ordre de s'arrêter et un campement sommaire fut établi pour la nuit.

Dès que les flammes du foyer se mirent à pétiller et que l'eau des marmites chanta, il fit signe au guide de le rejoindre sous la tente.

— Nous avons fait peu de chemin aujourd'hui, Nitikine, dit-il avec un accent de reproche.

— Nous en ferons bien moins encore demain, répliqua sourdement le guide, un grand gaillard au teint bilieux, et moins encore les autres jours, car nous entrons en terre interdite, docteur Huxton.

— Taisez-vous, gronda l'Anglais, vous ne savez pas ce que vous dites, Nitikine, il n'existe pas de terres interdites pour moi.

Le guide tendit la main vers le pan de toile soulevé, par où l'on voyait les porteurs accroupis devant le feu.

— Ils n'iront pas plus loin, docteur. Ce soir ils vous demanderont de leur régler leur paie et ils vous tourneront le dos. Inutile d'insister, vous leur offririez une fortune en or et en argent, qu'ils n'avanceraient plus d'une lieue.

— Dans ce cas, nous abandonnerons la plus grande partie de nos bagages et nous continuerons seuls le voyage, Nitikine, vous et moi.

— C'est bien téméraire, murmura le Iakoute.

— Ecoutez, Nitikine, je vous ai sauvé du bagne, de la mort peut-être. Quand j'aurai atteint le but que je me promets d'atteindre, nous retournerons vers la mer et nous nous embarquerons pour l'Amérique.

Le guide baissa tristement la tête.

— Tout cela est très beau, docteur, à condition de revenir du pays où vous voulez aller.

— Le royaume interdit du roi Ankiran ? Voulez-vous

croire, Nitikine, que je commence à douter de son existence ?

L'Asiatique indiqua du doigt une direction précise vers le nord.

— Si le sort le veut, nous y serons dans trois jours, docteur.

La conversation fut coupée brusquement par les cris gutturaux des porteurs.

Ces derniers s'étaient levés en sursaut, renversant la marmite de thé et faisant force gestes.

— Un *dondo* ! Un *dondo* ! s'écriaient-ils en faisant mine de chercher quelque refuge contre un danger encore indéfini.

— Hum, gronda le guide, voilà qui est mauvais, sir.

» Ces gens croient avoir vu un *dondo*, bien que je sois certain qu'il n'en est rien. Si nous étions à une journée de marche de plus dans les monts Iablonovyï, je ne dis pas...

Il se tourna vers les porteurs et leur parla avec colère.

— Vous êtes des fous ou des menteurs, vous savez bien qu'il n'y a pas de *dondo* par ici, car ils ne sont pas sur leurs terres.

— Il nous a regardés par-dessus cette crête rocheuse, répondit une voix plaintive, et il nous a fait une grimace. Nous allons tous mourir maintenant... Ah ! nous allons partir sur-le-champ.

— Nous ne les arrêterons plus, grommela le guide, réglez leur compte, sir, et qu'ils s'en aillent au plus vite, ils sont capables de se révolter si on les tient plus longtemps.

Le Dr Huxton fit venir le chef des porteurs et lui compta une pile de piastres chinoises.

L'homme ne se donna pas la peine de vérifier la somme et, sans un remerciement, il fit signe à ses compagnons qui ramassèrent vivement leurs maigres hardes. En quelques secondes, ils disparurent dans l'ombre, dans la direction de la rivière Ingoda.

— Qu'est-ce qu'un *dondo* ? demanda Huxton.

— Un loup blanc, répondit Nitikine.

— Bah ! railla le docteur, un coup de fusil en aurait bien eu raison.

— En effet, sir, si c'était un loup ordinaire, ce qu'il n'est pas. Le *dondo* est un homme qui a pris les apparences d'un loup ; dans votre pays on le nomme un loup-garou. Seulement, dans ces régions, c'est la pire rencontre que l'on puisse faire.

— A condition d'y croire, naturellement.

— Vous le ferez bientôt, si vous parvenez à pénétrer plus avant dans le royaume interdit d'Ankiran.

— Et pourquoi est-il si dangereux, votre *dondo* ?

Le guide le regarda gravement.

— Parce qu'il ne tue pas l'homme qu'il attaque ; il se contente de le mordre, et pas toujours d'une manière fort grave. Mais cette morsure entraîne la plus épouvantable des choses : la victime devient *dondo* ou loup-garou à son tour !

Le Dr Huxton ne s'avisa pas de rire.

Il n'ignorait pas qu'il se mouvait en plein pays de mystères et cette croyance ne lui était pas inconnue.

— Qui est Ankiran ? demanda-t-il tout à coup.

Nitikine jeta un regard effrayé autour de lui.

— Docteur Huxton, dit-il, je vous ai raconté ma vie. Je ne suis pas un sauvage, comme la plupart des habitants de cette contrée. J'ai pu faire des études, je suis allé à Moscou ; sans une faute politique, je serais à cette heure médecin ou ingénieur. Le roi Ankiran n'est pas un chef de tribu ordinaire, c'est un Chamane, un roi chamane, ce qui signifie un roi mage ou sorcier. Sa science est réelle et grande. Le gouvernement fait semblant de l'ignorer, histoire de pouvoir le laisser en paix. Il en est reconnaissant et le démontre en ne quittant pas la montagne, qu'il considère comme son fief. Je sais qu'il reçoit des nouvelles du monde entier, par l'entremise d'un convoi de Iakoutes assermentés. Ils déposent le courrier, ou ce dont il a besoin, aux frontières de son royaume, dans un endroit déterminé où est déposé également leur salaire, très élevé et payé en or pur.

— Pourrai-je entrer en relation avec lui ?

Nitikine secoua la tête.

— Sans doute, s'il le désire, mais je n'ose croire qu'il le fera jamais.

— Est-il gardé par des hommes armés ?

— Des armes ? Ils n'en possèdent guère, lui et ses sujets, du moins pas des armes ordinaires. Mais il en a d'autres bien plus efficaces pour le protéger.

— Les *dondos* ?

— Non, les *dondos* ne sont que les parias de la tribu. Mais les *girrits*.

— Qu'est-ce donc ?

— Ce sont des morts... murmura le guide avec effroi, oui, des morts... par conséquent des créatures que l'on ne pourrait tuer. Leur force est horrible, presque sans limites, et ils commandent aux tigres de la montagne.

— Comment ?

— Par la racine *giseng*... l'herbe à tigres, ou la mandragore. La seule vraie mandragore est celle qui croît dans la montagne d'Ankiran, les autres ne sont que de pauvres plantes à peine similaires par la forme, mais d'une puissance magique fort restreinte.

Tout à coup, Nitikine prit le docteur par le bras et murmura d'une voix épouvantée :

— Oh ! regardez donc là-bas...

Huxton, lui-même, ne put se défendre d'un mouvement de surprise angoissée. Le défilé proche, entre les rochers, où ils comptaient s'engager le lendemain, venait d'être éclairé par la tremblante lueur d'une vingtaine de hautes torches descendant lentement vers l'endroit où ils se trouvaient.

— Les Chamanes... le peuple sorcier, balbutia le guide.

A ce moment une voix claire s'éleva dans la nuit, s'exprimant en un anglais très pur :

— Le docteur Huxton est prié de s'avancer.

Après une brève hésitation, le voyageur obéit.

Il vit alors, arrêté à cent pas d'un groupe de porteurs de torches, un homme de haute stature, habillé d'un long caftan blanc et coiffé d'une sorte de capuchon de laine grège.

— Mon maître, le roi Ankiran, m'envoie vers vous, docteur Huxton, dit l'homme. Il vous invite à m'accompagner. Il vous fait savoir que vous pourriez lui être utile.

— Je suis très heureux de l'apprendre, murmura Huxton, Sa Majesté me fait un bien grand honneur.

— Une chaise à porteurs vous attend, vous et votre serviteur, continua le Chamane. J'ai reçu l'ordre de vous conduire dans le plus bref délai auprès du roi, mon maître. Voulez-vous m'accompagner sur-le-champ ? Je vous donnerai à boire le vin du sommeil, pour que le voyage nocturne vous soit moins pénible.

Il fit un geste de la main et quatre Asiatiques arrivèrent au trot, portant une chaise à porteurs d'un modèle chinois, ornée de fines sculptures.

— Versez le vin ! ordonna le chef.

Ils remplirent deux coupes de jade où moussait un liquide agréable et, quand Huxton et le guide prirent place dans la chaise, ils s'endormirent presque immédiatement.

Quand ils s'éveillèrent, il faisait grand jour et la colonne s'enfonçait dans les nuées entourant la haute montagne. Il faisait très froid à l'intérieur du petit édicule transporté allégrement et, par les stores de soie rouge, une main serviable passa du thé chaud à Huxton et à son guide.

— Sir, murmura ce dernier, avez-vous vu cette main ?

— Qu'avait-elle de particulier ? demanda le docteur, surpris.

— Elle portait la marque du loup !

— Je ne la connais pas, avoua Huxton.

— Trois points disposés en un V majuscule, expliqua sourdement Nitikine.

Huxton haussa les épaules mais, au même moment, Nitikine lui saisit la main et enleva le gobelet de thé qu'il portait à ses lèvres.

— Il ne faut jamais rien accepter d'un *dondo,* dit-il anxieusement.

— Dans ce cas, le roi Ankiran nous veut du mal ?

— Ne dites pas cela, s'effara le guide, Sa Majesté est la loyauté en personne et je ne comprends pas comment un *dondo* a pu se glisser dans l'escorte.

Il se pencha hors de la chaise et vit le chef de l'escorte, chevauchant un singulier petit alezan chinois, passer à proximité.

— Chamane ! demanda-t-il d'un ton respectueux, mon maître, le docteur, voudrait remercier celui qui lui passa du thé par le rideau de soie rouge.

Le chef, un homme au visage sévère, lui lança un regard surpris.

— Nous n'avons pas de thé, dit-il, et personne n'a pu s'approcher de la chaise puisque c'est moi-même qui en ai la garde. Je suppose que quelque mauvais génie de la montagne vous a jeté un mauvais rêve.

Nitikine lui fit signe de s'approcher davantage et lui tendit le gobelet de porcelaine rouge empli de thé odorant.

A peine le Chamane l'eut-il vu que son regard s'assombrit.

— J'espère que Sa Seigneurie n'en a pas bu ? demanda-t-il, soucieux.

— Non, Chamane, car je veillais, et la main qui lui tendit ce vase portait le signe du *dondo*.

— Vous voyez, c'est bien un mauvais génie qui s'en est mêlé, affirma le chef, cette main n'appartenait à aucun corps... mais vous avez très bien agi.

La conversation avait eu lieu en langage iakoute que le Dr Huxton ne comprenait qu'assez imparfaitement, toutefois il en avait saisi le sens.

Mais l'explication du chef d'escorte ne le satisfaisait pas ; il écarta un pan du rideau rouge et inspecta les alentours.

Ils traversaient un étroit défilé et la chaise côtoyait des bosquets de conifères nains. A l'endroit où était apparue la main, elle avait dû frôler les sapins et les mélèzes.

Le savant regarda les porteurs : quatre gros gaillards à la mine impassible, véritables buffles qui marchaient comme des automates.

Huxton se laissa aller en arrière sur les minces coussins de cuir et se dit que les mystères du royaume interdit commençaient déjà.

On était arrivé à ce moment à haute altitude. Au loin, un épais voile de brume blanche cachait la plaine et la rivière ; des névés entouraient les hommes de leurs larges nappes polaires ; au fond du ciel éperdument bleu, un aigle semblait rester immobile, comme pendu à un invisible fil.

Tout à coup un aigre coup de gong éclata, suivi aussitôt par un sec bruit de crécelle.

— Qu'est-ce? demanda Huxton à Nitikine. Appelle-t-on quelqu'un?

— Au contraire, murmura le guide avec un frisson, nous allons longer un cimetière chamane, et l'on donne ordre aux *girrits* de s'écarter de notre passage.

Avec curiosité Huxton se pencha vers le rideau de soie, mais Nitikine prévint son geste.

— Il vaut mieux ne pas les voir, sir, dit-il d'une voix suppliante.

Résigné, le docteur reprit sa place et sa songerie.

Après une brève halte, le convoi s'ébranla de nouveau, poursuivant une marche ascendante qui s'avérait difficile et pénible.

Le bruit du gong et de la crécelle avait cessé, mais un autre s'élevait maintenant, un tintamarre métallique accompagné d'un cliquetis bizarre comme un air lointain de xylophone.

— Nous longeons le cimetière, murmura Nitikine, c'est un endroit absolument interdit aux étrangers et même aux Chamanes qui ne possèdent pas une autorisation spéciale pour s'y aventurer.

Le vent soulevant légèrement un pan de rideau, Huxton put voir, par intervalles, une partie du paysage.

On se serait cru dans un bocage nain planté de tout petits arbres rabougris, aux courtes branches d'où pendillaient des outres de cuir sec.

Nitikine, qui voyait lui aussi, expliqua à mi-voix:

— Ce sont les tombes chamanes... N'oubliez pas, sir, que ces sorciers ne croient pas à la mort, du moins pas de la même façon que nous. Quand bon leur semble, ils tirent de leur repos les ensevelis de moindre mérite, qui doivent encore des services aux vivants.

— Les *girrits*?

— Eh oui... mais ne parlez pas si haut, il est dangereux de prononcer leur nom: ils l'entendent de loin et accourent.

Le bruit diminua; vers midi, le convoi fit brusquement halte et le chef vint prier poliment les voyageurs de mettre pied à terre.

Huxton se vit alors sur un plateau oblong adossé à la muraille rocheuse et côtoyant un énorme précipice. Une cinquantaine de tentes en cuir s'y alignaient tandis qu'une autre, celle-là très large, et portant un fanion doré, s'isolait vers l'extrême rebord du plateau.

Le chef s'empressa.

— Sa Majesté le roi Ankiran a voulu venir elle-même au-devant de ses hôtes, dit-il. Voulez-vous me faire l'honneur de me suivre.

Il les conduisit vers la grande tente. Arrivé à quelques pas, il demeura immobile dans une attitude de respect et de crainte.

— Faites entrer le Dr Huxton, dit une voix grave en anglais.

Il faisait assez sombre à l'intérieur de la tente, mal éclairée par les flammes jaunes et courtes d'un brasero en cuivre, mais quand le docteur se fut habitué à la pénombre, il découvrit un intérieur confortable qui rappelait en tout point celui d'un camping de grand style, européen ou américain. Assis sur un pliant de toile bise, un gentleman vêtu d'un caftan très blanc le regardait avec bienveillance.

— Très heureux de vous voir, docteur Huxton, dit-il en lui tendant une belle main soignée, je suis Ankiran.

— Majesté... commença le docteur, un peu éberlué.

— J'ai voyagé en Angleterre où l'on m'appelait sir, répliqua le roi en souriant, vous me ferez le plaisir de faire de même.

Huxton vit avec étonnement que son auguste interlocuteur avait bien peu l'apparence d'un Asiatique. La peau du visage était légèrement hâlée comme le serait celle d'un Blanc ayant fait un séjour sous les tropiques. Le nez était légèrement bourbonien et les yeux calmes, larges et rieurs.

Le roi sembla deviner sa pensée et rit doucement.

— Les Chamanes n'appartiennent pas à la race jaune, comme on est enclin à le croire, expliqua-t-il, ce sont de purs Caucasiens ; seules les tribus de la plaine ont parfois fusionné avec des tribus mandchoues, mais celles de la montagne sont restées complètement pures, à ceci près qu'elles ont les yeux et les cheveux foncés. J'ai lu vos récits de voyages, docteur, et je rends hommage à leur sincérité ; je vous avoue également que votre ouvrage sur les maladies mentales peu étudiées se trouve dans ma bibliothèque et qu'il m'a vivement intéressé.

Huxton ne savait que répondre ; il allait de surprise en surprise.

— Je suis venu à votre rencontre, continua le roi Ankiran, et nous ne resterons ici que le temps de luncher, comme vous dites. J'espère que vous excuserez la frugale ordonnance de ce repas de camping.

Pourtant, pour la région, le repas fut vraiment royal. On servit du caviar rose, des truites bouillies, des grillades de mouton et des volailles au gros poivre, et, comme dessert, présent merveilleux, du champagne de France !

Ankiran, très sobre, mangeait peu, se contentant de quelques galettes de blé noir parfumées au cumin, mais prenait un grand plaisir à voir son hôte se régaler de ce festin inattendu.

Quand la dernière coupe fut vidée, son visage souriant se fit plus grave.

— Docteur Huxton, dit-il, je vous ai réellement appelé à mon secours, ou plutôt à celui de ma tribu. Aidez-moi à combattre le terrible fléau qui la dévaste : la lycanthropie. Oui, mes malheureux sujets, sous l'emprise d'un mal mystérieux, deviennent des loups-garous !

6. Le manoir des araignées

Le Dr Gabriel Thorne prit quelques minutes de repos qui furent complètement silencieuses. Son regard était devenu fixe et semblait suivre au loin des images redoutables.

Harry Dickson l'observait sans mot dire, fumant sa pipe à courtes et nerveuses bouffées.

Enfin le docteur reprit son récit :

— Je me suis étendu longuement sur l'arrivée de George Huxton au royaume d'Ankiran, à présent je serai plus bref et je résumerai, car je n'ai nullement l'intention de verser dans le roman d'aventures.

Huxton se mit à l'ouvrage, il étudia de nombreux cas de lycanthropie et sans doute parvint-il, sinon à guérir des malades, tout au moins à enrayer le progrès du mal.

Ankiran lui témoigna une gratitude sans bornes ; il lui laissait une grande liberté d'action, en y mettant toutefois une condition : il lui était défendu d'approcher des *girrits*.

— Moi-même je suis impuissant contre eux, avoua le roi ; ils sont du ressort exclusif des sorciers chamanes, n'oubliez pas que j'administre bien plus le pays que je n'y règne !

— Les *girrits* sont-ils vraiment des morts ? demanda le docteur.

Le visage du roi Ankiran s'assombrit.

— Ainsi le veut la tradition. Ce sont de terribles gardiens, mais ce sont avant tout des gardiens, et, sans eux, la liberté de mon royaume serait un leurre. Ce pays est très riche, car on y trouve en abondance la racine de la mandragore, qui a une énorme valeur marchande, ainsi que de l'or pur et des pierres précieuses. Sans les *girrits*, nous serions à la merci des innombrables bandes pillardes venant de Mandchourie. Je vous en supplie, ne tournez vos recherches que vers le terrible mal mental de mes sujets !

— La première chose qui s'impose, en cette matière, affirma le docteur, c'est d'exterminer les loups blancs qui sont tous porteurs d'un germe d'hydrophobie bien marqué et source de tous les maux. Les hommes mordus par eux deviennent tout simplement enragés et leur morsure devient à son tour dangereuse puisqu'elle communique la maladie.

Ainsi fut-il fait et, pendant des semaines, de véritables

battues furent organisées, où d'innombrables fauves tombèrent sous les coups des chasseurs.

Tout aurait été pour le mieux si une femme ne s'en était mêlée.

Les femmes chamanes ne sont pas très belles et le docteur les remarqua à peine, mais un jour quelque chose changea.

Il avait observé qu'aux confins de la petite ville chamane, blottie au haut de la montagne, et tenant lieu de résidence royale, se dressait une jolie bâtisse, mi-isba, mi-cottage, dont l'accès était défendu à quiconque.

Un jour il se hasarda de ce côté et il la vit.

Oui, il vit la plus belle princesse chamane, Ilouka.

Ce fut le coup de foudre!

Ils se revirent en cachette, grâce sans doute à des complicités, et bientôt ils s'aperçurent que la vie n'aurait plus de valeur pour eux sans leur amour.

Ilouka n'était pas seulement merveilleusement belle, elle possédait une culture étendue. Elle parlait l'anglais à la perfection, avait de vastes connaissances scientifiques et aurait damé le pion à bien de nos universitaires.

Huxton était un homme droit, sachant difficilement mentir. Un jour il parla à Ankiran et lui raconta tout: sa rencontre avec Ilouka, leur mutuel amour. Alors qu'il s'attendait à une terrible colère de la part du roi, auquel il avait si nettement désobéi, il fut surpris de l'immense tristesse avec laquelle Ankiran accueillit son aveu.

— Je vous dirai tout, dit enfin le souverain, et après vous quitterez immédiatement le pays, docteur Huxton. Cela pour votre bien, pour votre salut.

» Ilouka est ma fille, sa mère était espagnole... Elle est née à... Londres!

— Comment! s'écria Huxton.

— Je suis Anglais, docteur Huxton, continua le roi d'une voix sourde.

» Quand ma femme mourut en donnant le jour à Ilouka, j'acceptai l'offre du gouvernement soviétique de venir à Moscou diriger une usine, car j'ai le grade d'ingénieur. Un an plus tard, entraîné je ne sais comment dans un mouvement politique, je fus envoyé avec ma petite fille en exil en Sibérie.

» Je parvins à m'enfuir du bagne et je fus recueilli par cette tribu chamane.

» Je devins leur conseiller, puis leur roi.

— Ankiran ! s'écria Huxton, rien n'empêche qu'Ilouka devienne ma femme !

— Malheureux, gémit le roi, Ilouka... est lycanthrope !

Le docteur sursauta, mais se reprit.

— Je suis homme à la guérir ! s'écria-t-il avec feu.

— Hélas, si ce n'était que cela ! Oui, je vous dois toute la vérité, si terrible et invraisemblable qu'elle puisse vous paraître. Un jour, après une partie de chasse où elle fut mordue par un loup agonisant, elle tomba malade et... Oh ! Huxton, c'est affreux, ELLE MOURUT !

» Oui, j'ai vu Ilouka froide et roide, les yeux vitreux, drapée dans un linceul !

» Alors les mages sont venus. Ils sont restés trois jours à son lit de mort, sans que personne, pas même moi, pût approcher.

» Et la troisième nuit, Ilouka se leva et sortit de la chambre mortuaire : elle était devenue *girrit* !

» J'aurais dû l'envoyer vers les régions interdites où seuls les hommes morts-vivants ont droit de séjour. Je ne l'ai pu ! Je l'ai gardée prisonnière.

» Parfois elle s'est échappée, se livrant à des actes d'une cruauté terrible sur mes sujets. Huxton, souvenez-vous de la main qui vous tendit un gobelet rouge empli de thé empoisonné ! C'était la sienne !

» Oui, le Chamane chef de l'escorte a parlé d'un *dondo*... sans doute, ne pouvait-il prononcer le nom maudit des *girrits* !

» Maintenant partez, Huxton, sans la revoir, laissez-moi seul avec mon malheur et ma détresse !

Le même jour, le docteur quitta la montagne et gagna Vladivostok par étapes. De là, il retourna en Angleterre.

Le Dr Thorne se tut et essuya son front ruisselant de sueur.

— Docteur, lui dit tout à coup Harry Dickson, un homme — c'était un certain Bob Jarvis — se trouva un jour en face d'un *girrit*, à Londres... Il remarqua une chose curieuse : le *girrit* refusa du thé, malgré son apparente faiblesse.

— Le seul moyen de les détruire, c'est l'eau, répondit le savant, c'est pour cela qu'ils ne peuvent séjourner que dans les endroits très secs de la montagne. Jugez donc de mon étonnement de les voir apparaître à Londres, la ville pluvieuse et humide entre toutes.

— Très bien, dit simplement le détective, à présent voudriez-vous m'accompagner au château des araignées ou m'en montrer le chemin ?

— Dickson ! s'écria le maître d'école, que voulez-vous faire ?

— Mettre fin à un odieux mystère, docteur, et rien de plus !

La nuit était froide et claire, les deux hommes se mirent en route et laissèrent bientôt derrière eux le petit village de Glennock, qui s'endormait. Le chemin qui devait les conduire au manoir abandonné s'encaissait profondément entre les rochers et serpentait en méandres.

Ils n'échangèrent pas un mot ; Thorne avançait d'un large pas de faucheux que le détective avait peine à suivre.

Au bout d'une heure, il gravit une colline escarpée et se campa à son sommet, la main tendue vers l'ouest.

— Le château des araignées ! murmura-t-il.

Harry Dickson réprima un frisson.

Jamais apparition plus fantastique ne se dressa sous la lune.

Au fond d'un vallon, se mirant dans un lac noir comme de la houille, un château médiéval aux tourelles élancées, aux murs massifs, à peine troués de quelques étroites meurtrières, semblait menacer toute la contrée.

— Je suppose, docteur, dit le détective, que les portes de ce manoir ne sont pas un obstacle pour vous.

— Vous avez bien deviné ou conclu, répondit le docteur.

— Et vraiment, y a-t-il des araignées ?

— Vous allez voir !

Ils descendirent un raidillon dangereux qui les mena à un pont en arche, enjambant une rivière qui se déversait dans le lac.

Thorne poussa une énorme grille qui s'ouvrit en grinçant.

— Je me demande, dit tout à coup le détective, si nous trouverons Luciana de Haspa au château.

Son compagnon ne répondit pas, peut-être n'avait-il pas entendu.

— Il y a de la lumière, murmura Dickson, en montrant une faible lueur découpant sur l'ombre des murs une vague forme de fenêtre ogivale.

— Huxton... murmura le docteur.

Ils avaient traversé une large cour d'honneur et montèrent un haut perron de granit bleu ; la porte était ouverte et dans le formidable vestibule, affreusement vide et dénudé, une torche à huile brûlait solitairement dans un support de fer noir.

— Regardez, dit Thorne tout bas.

Devant eux une porte s'entrebâillait et, l'ayant poussée, les deux visiteurs nocturnes virent une grande salle carrée, éclairée par un puissant lustre garni de hauts cierges de cire brune, et complètement agencée en laboratoire.

— Regardez, répéta le docteur.

Harry Dickson réprima une envie de crier.

Le long des murs courait une longue série de petites cages vitrées et, dans chacune d'elles, se prélassait une affreuse araignée velue et griffue.

— Les connaissez-vous, Dickson ?

— Oui... les hideuses tarentules sibériennes dont le venin est aussi redoutable que celui des cobras, si ce n'est pas davantage !

Un rugissement effroyable éclata à ce moment, et Dickson porta la main à son revolver.

— Venez, dit sourdement le maître d'école, et domptez vos nerfs.

Il se dirigea directement vers un étroit portillon qui, une fois ouvert, laissa voir une petite pièce ronde fortement éclairée.

De puissants barreaux de fer partageaient la chambre en deux parties inégales et, dans la plus petite, se dressait une apparition de cauchemar.

C'était un immense tigre sibérien aux yeux de flammes, mais ce n'était pas dans son aspect de fauve que résidait l'horreur.

La bête était enchaînée, étroitement ligotée sur une sorte de chevalet de torture, et son poitrail était ouvert par une énorme plaie.

Dickson vit palpiter les organes intérieurs et un sang noir couler lentement de l'atroce plaie.

Dans la profondeur de la blessure, il put voir la vague luisance des pinces hémostatiques et des agrafes chirurgicales.

— Quel monstre se plaît à torturer de la sorte ce redoutable animal ? s'écria Harry Dickson, horrifié.

Le Dr Thorne se redressa, un éclair de colère dans ses yeux sombres.

— Huxton a volé le secret des mages chamanes ! s'exclama-t-il.

— Dites plutôt qu'Ilouka le lui a révélé ! riposta le détective.

— Oui, murmura Thorne, le venin des araignées, le *giseng*, le sang des tigres... Je savais que ces horribles choses appartiennent à l'arsenal magique des sorciers de là-bas ! Ah ! si je trouvais Huxton...

— Inutile... il est parti, j'ai relevé la trace de la petite auto dont il se sert pour circuler dans la montagne. Il est parti, et sa femme avec lui !

— Sa femme !

Le détective prit doucement son compagnon par le bras.

— Ilouka a suivi Huxton, dit-il, elle l'a retrouvé à Londres. Ils se sont épousés en cachette.

Un sanglot rauque lui répondit.

— Consolez-vous, roi Ankiran, dit Harry Dickson à haute voix, Luciana de Haspa, votre fille, n'est pas une *girrit* ! Le seul monstre de cette espèce, je le connais à présent !

Et, tirant son revolver, le détective mit, d'une balle, fin aux souffrances du tigre martyr.

7. Le mort-vivant

Harry Dickson était rentré à Londres, dans sa maison de Bakerstreet.

Bien que fort content des services de sa gouvernante, Mrs. Crown, il s'était adjoint ceux d'un valet de chambre.

En vérité, le nouveau domestique était bien extraordinaire, puisqu'il n'avait dans ses attributions rien de ce qui est habituellement dans celles des serviteurs.

Au contraire, toute la maisonnée le traitait avec une grande déférence.

Un roi, valet de chambre de Harry Dickson !

Cela aurait pu servir de titre à ce récit, mais l'auteur n'en fera rien par respect pour S. M. Ankiran, souverain chamane.

Ankiran, que le détective appelait désormais, sur les instances du roi lui-même, Dr Gabriel Thorne, ce qui était d'ailleurs son véritable nom de citoyen anglais, passait de longues heures en compagnie de son « maître ».

Et ce dernier endossait alternativement les rôles de professeur et d'élève. C'est ainsi qu'il apprit que les sorciers chamanes formaient une caste nettement séparée des autres dignitaires, et régnaient bien plus que le roi lui-même.

Sur les *girrits*, Ankiran continuait à rester muet et cela, selon son propre aveu, par pure ignorance.

— N'oubliez pas que, n'étant pas sorcier, je ne pouvais être initié à leurs pratiques, déclarait-il, et ce que j'en sais, c'est ce que j'ai pu recueillir par la tradition populaire, ce qui n'est pas énorme et est souvent erroné, en raison de l'hermétisme de la science magique chamane.

Et, comme cela lui arrivait souvent, Harry Dickson se plongea dans les livres de voyages et d'érudition orientale.

— Qu'attendez-vous ? demandait souvent le Dr Thorne.

— Les *girrits* de Londres, répondait invariablement le détective.

Il était retourné à la maison du Dr Huxton, mais y fut reçu par une domesticité parfaitement ignorante du sort de son maître et de celui de Mlle de Haspa.

Le vieux père Cabuy avait laissé la clef du laboratoire désert, et avait quitté son service sur une remarque banale et humaine :

— Quand on ne me paie pas, je ne travaille pas !

Ainsi les journées s'écoulèrent.

Un soir, Harry Dickson, après avoir longuement consulté le baromètre, annonça une absence relativement prolongée.

En vain le Dr Thorne insista-t-il pour l'accompagner, pressentant un danger pour le détective. Celui-ci ne voulut rien entendre.

— Seul mon fidèle Tom Wills sera de l'équipée, déclara-t-il.

Entre chien et loup, il se présenta au Zoo, à l'heure où les derniers visiteurs quittaient les larges allées et que les cloches de fermeture retentissaient à toute volée.

Les gardiens de nuit prenaient leur service et, bientôt, Harry Dickson remarqua Bob Jarvis parmi eux.

L'homme parut légèrement interloqué de voir le détective surgir brusquement à ses côtés et une furtive rougeur monta à ses joues.

Dickson vit qu'il portait un complet de bonne coupe et qu'un coûteux bracelet-montre ornait son poignet gauche.

— Les affaires marchent donc, mon vieux Bob ? demanda-t-il d'un air innocent.

— Pas mal, merci, monsieur Dickson, fut la réponse évasive.

— On a donc enfin accepté les larges pourboires de l'homme pâle, demanda brusquement le détective en plantant son regard d'acier dans les yeux du gardien.

L'homme se troubla visiblement.
— Je ne sais... ce que vous voulez dire, balbutia-t-il.
— Trêve de réticences, Bob, dit sévèrement Harry Dickson, n'oubliez pas que ce ne sont pas des mois de prison qui sont en jeu pour vous, mais une cellule forte à Newgate, suivie d'une visite matinale de Jack Ketch, le bourreau de Londres !
Jarvis se mit à trembler comme une feuille.
— Je n'ai rien à me reprocher, dit-il avec peine.
— Si, une abominable complicité dans l'odieux meurtre de votre camarade Wackens. Que vient faire l'homme pâle, la nuit, dans le Zoo ?
— L'homme pâle ? fit Jarvis avec un étonnement visible, mais ce n'est pas lui... il n'est pas plus pâle que vous et moi !
— Peu importe, riposta le détective, mais apprenez que je suis au courant de tout, je ne veux qu'éprouver votre sincérité à l'égard de la justice de votre pays. Je sais que vient ici, régulièrement, un étranger, mais uniquement lorsqu'il fait beau et que le temps ne menace pas.
— Tiens, c'est vrai, avoua naïvement le gardien.
— Et que vient-il faire ?
— Oh, rien de mal... il me demande l'autorisation de regarder les tigres de nuit, et rien d'autre, mais il ne fait rien d'anormal.
— En êtes-vous certain ? Tenez, il n'y a pas si longtemps que le directeur du Zoo m'affirmait que ces fauves semblaient nerveux et déprimés depuis un certain temps.
— C'est assez vrai... admit Jarvis après une hésitation, mais je ne crois pas que l'homme y soit pour quelque chose.
— Le connaissez-vous ?
— Non !
— Vous mentez... Vous êtes l'homme qui connaît le mieux les bas-fonds de Londres et les gens qui les fréquentent. Où habite-t-il ?
Cette fois, Bob était vaincu.
— Il se nomme Weismuller, c'est un Allemand. Il

habite Whitechapel Road, dans une petite boutique vide dont il occupe les chambres du premier étage.

— Merci, répondit Harry Dickson, je n'en demande pas davantage. Il fait très beau ce soir et vous pouvez le laisser entrer comme de coutume.

Vers minuit, le détective et son élève se trouvaient devant la maison du sieur Weismuller.

C'était une demeure vieillotte, promise aux démolisseurs, et dont le détective ouvrit la porte d'un simple tour de passe-partout.

A peine entrés, une odeur bizarre les prit à la gorge.

— La botte de paille, maître, dit Tom Wills tout bas, et aussi l'étrange parfum que l'homme très pâle laissa derrière lui après son départ.

— *Giseng* ! observa brièvement le détective.

A l'étage, ils trouvèrent deux chambres sommairement meublées et dont l'une était agencée en un laboratoire primitif.

Sur la flamme bleue d'un bec Bunsen mis en veilleuse, une cornue de verre était posée, où bouillait doucement un liquide jaunâtre.

Dickson en recueillit quelques gouttes dans une fiole, la flaira et se déclara satisfait.

— Brr ! fit tout à coup Tom Wills, regardez-moi ces horreurs !

Avec un profond dégoût, il désignait deux vastes bocaux remplis d'un grouillement immonde d'araignées de forte taille.

— Très bien, dit Dickson... A propos, Tom, savez-vous ce que Mr. Weismuller fait la nuit au Zoo ?

— Mais non, et vous, maître ?

— Certainement : il saigne les tigres à l'aide d'une de ces curieuses lancettes-seringues que voici !

Il s'empara d'un long et fin tube d'acier terminé par une aiguille creuse et muni d'un piston de pompe.

— Et les tigres se laissent faire ? s'écria Tom, incrédule.

— Un peu de *giseng*, qu'on leur fait flairer à distance, les plonge dans une sorte de stupeur ravie, qui permet les étranges pratiques de saignée dont je viens de vous parler ! Maintenant nous pouvons partir !

— Comment, c'est tout ce que vous vouliez savoir?
Harry Dickson venait d'ouvrir et de refermer une étroite armoire à glace et souriait mystérieusement.

— C'est tout, Tom, et c'est assez. Toute cette terrible histoire va finir en aventure de carnaval!

En quittant la maison, il regarda le ciel.

— Hum, dans quelques jours nous aurons de la pluie... Il faudra que Mr. Weismuller fasse diligence; d'ailleurs, je crois qu'il est prêt à l'action.

En rentrant, il déclara nettement au Dr Thorne:

— Dans vingt-quatre heures, le mystère n'en sera plus un!

— Pourquoi?

— J'attends demain la visite du *girrit* et maintenant, docteur, écoutez bien les instructions que je vous donne, et veuillez les suivre à la lettre.

Harry Dickson, en robe de chambre, fumait sa première pipe du matin quand Mrs. Crown annonça:

— Un agent de police de Scotland Yard, maître... Il dit que c'est très urgent.

— Le connaissez-vous?

— Je ne l'ai jamais vu!

— Faites entrer!

L'homme parut. C'était un solide gaillard, au visage mafflu surmonté par une rude tignasse rousse, et dont la vaste corpulence semblait à l'étroit dans un uniforme bleu galonné d'argent.

— Bonjour, fit le détective, vous venez de la part de mon ami Goodfield?

— De Mr. Goodfield, en effet, répondit l'homme avec empressement, il me charge de vous dire...

Harry Dickson le fixait dans les yeux, d'énormes et singuliers yeux verdâtres; l'homme fit un pas vers lui.

A ce moment se produisit la chose la plus étrange du monde.

La porte fut ouverte brusquement, et un énorme jet d'eau fusa dans la pièce. Le nouveau valet de chambre du détective venait d'apparaître sur le seuil de la porte, muni d'une lance à incendie dont il dirigea le jet puissant sur le corps de l'agent de police.

Celui-ci poussa un cri épouvantable et roula sur le sol en se tordant dans d'atroces douleurs.

— Halte ! ordonna Harry Dickson.

Le corps du policier frissonna longuement et demeura immobile.

— Il est mort ! cria le Dr Thorne.

— Oui ! dit sombrement le détective.

Mais ils assistaient à présent à quelque chose de fantastique.

Le cadavre se recroquevillait visiblement, et les vêtements devinrent flous et lâches autour de ses membres.

Le visage se creusa, se fripa, devint vieillot et fané, et la tignasse rousse se détacha d'un crâne dénudé.

— Le père Cabuy ! s'écria Tom Wills.

Harry Dickson se tourna vers le Dr Thorne.

— Dans toute cette histoire nous avions oublié Nitikine, dit-il, le voici... C'était le *girrit* de Londres.

— Suivez bien mon raisonnement, dit Harry Dickson, il forme en même temps le récit explicatif du drame.

» Nitikine était un homme cultivé, nous le savons. Pendant le séjour de son maître, George Huxton, parmi les Chamanes, il travailla pour son compte et épia les sorciers.

» Il apprit ainsi que ces derniers ne ressuscitaient pas les morts, mais s'emparaient des vivants et les réduisaient en un terrible esclavage.

» Quand ils avaient jeté leur dévolu sur qui pouvait leur servir de gardien futur, ils lui faisaient prendre quelques drogues qui le plongeaient dans un sommeil ayant toutes les apparences de la mort.

» Pendant les jours suivants, ils le soumettaient alors à un traitement qui avait pour effet de changer complètement son état mental. Il devenait malin, cruel, sanguinaire, et ses forces physiques étaient, pour le moins, décuplées.

» C'est ainsi qu'ils procédèrent avec la fille du roi Ankiran, dont ils redoutaient l'intelligence, et aussi dans l'intention de tenir le souverain à leur merci. Mais ils eurent l'excellente idée de ne pas pousser l'expérience trop loin, et ne donnèrent pas à la pseudo-morte l'apparence des horribles *girrits*, de crainte que le roi ne se détachât de sa fille.

» Nitikine eut tôt fait de découvrir tout ceci, mais, en même temps, un autre sentiment naquit en lui : il s'était mis à aimer à son tour la belle princesse chamane.

» Force lui fut de suivre son maître dans son exil, mais il pressentait que la belle Ilouka prendrait, elle aussi, ce chemin pour retrouver l'homme qu'elle aimait. Il le suivit à Londres.

» Maintenant, n'oubliez pas qu'Ilouka était gardée à l'écart de la capitale de son père et qu'elle n'avait que très vaguement aperçu Nitikine. Nous devons donc admettre qu'elle ne le reconnut pas.

» Et George Huxton, sans doute sur les instances de son ancien guide, garda le silence, peut-être également pour ne pas effrayer Ilouka, qui aurait été désolée que son secret fût connu par un autre que l'homme aimé.

» Huxton poursuivait avec une âpre volonté les recherches qui devaient amener la guérison radicale d'Ilouka, devenue sa femme.

» Il trouva en Nitikine un aide puissant, bien mieux au courant que lui des pratiques chamanes mais qui le laissa naturellement dans l'ignorance de la vérité pure.

» Qu'arriva-t-il alors ?

» Nitikine s'aperçut que son maître était sur le chemin de la découverte, et celle-ci devait mener fatalement à celle de l'imposture : la maladie *girrit* n'en était pas une.

» Il brusqua les événements.

» Il profita des dernières incertitudes de son maître, et de l'arrivée d'un loup blanc de Sibérie, pour faire planer un affreux soupçon sur Huxton.

» Il l'attira dans le Zoo, dans le but de le faire mordre par le loup blanc.

» Vouer Huxton à la lycanthropie, c'était le plonger

en plein dans le crime et lui faire perdre à jamais Ilouka.

» Mais Huxton avait déjà de vagues soupçons.

» Les travaux auxquels il se livrait à Londres ne servaient plus depuis longtemps qu'à égarer Nitikine ; les véritables expériences se faisaient au manoir de Glennock.

» C'est là qu'il entrevit la vérité.

» Et c'est là qu'il démontra à sa femme qu'elle n'avait jamais été une *girrit* !

» Mais Nitikine fit en sorte que les événements se précipitent.

» Voyons maintenant la mécanique de la terrible nuit du Zoo.

» Par un trucage habile, il parvint à attirer Huxton hors de chez lui et à le conduire au Zoo, devant le loup blanc.

» Nitikine manqua de courage et de force pour ce qu'il se proposait de faire. Il prit l'horrible drogue qui fit de lui, passagèrement, un *girrit*, c'est-à-dire une créature téméraire, intelligente et douée d'une puissance athlétique surhumaine.

» Une fois dans le Zoo, il tua Wackens à la manière des lycanthropes, pensant bien que Huxton, mordu par le loup blanc, se croirait l'auteur du crime.

» Mais le docteur était moins sous l'influence maléfique de Nitikine que celui-ci le croyait. Et il tua l'animal.

» Après quoi, terrifié par la vue du cadavre de Wackens, il s'enfuit à Glennock.

» Luciana de Haspa joua alors la comédie de la femme terrifiée, pour m'attirer à Glennock à mon tour. Cette comédie n'en était pas une complètement, car elle était vraiment horrifiée en apprenant qu'un *girrit* hantait Londres. Mais si elle tenait à m'avoir à ses côtés, c'est parce qu'elle voulait m'ériger, malgré moi, en protecteur de son époux, George Huxton.

» Nous arrivâmes à Glennock, et là, la princesse chamane reconnut, en la personne du Dr Thorne, son père, le roi Ankiran.

» Elle s'enfuit, épouvantée, rejoindre son époux au

manoir des araignées et, ensemble, ils partirent pour une destination inconnue.

» A Londres, Nitikine avait compris.

» Il ne songea plus qu'à se venger, et avant tout de Harry Dickson qui, d'après lui, s'était mis en travers de tous ses plans.

» Il prépara à nouveau le terrible poison chamane qui ferait de lui, pour quelques heures, un être surhumain.

» Mais je découvris son repaire et je vis que la préparation était presque au point; je découvris également, dans sa garde-robe, l'uniforme d'un agent de police.

» Je sus dès lors sous quelle forme il se présenterait à moi.

» Il vint, masquant sous le fard la terrible pâleur qui résultait de l'absorption de la drogue vénéneuse. Le jet d'eau le tua!

— Mais le jet d'eau tue-t-il réellement ces créatures? demanda Tom Wills.

— Certes, et notamment par... autosuggestion.

» Il fallait bien que les sorciers chamanes eussent à leur disposition un moyen très simple pour venir à bout des serviteurs, qui pouvaient devenir de formidables révoltés.

» Ici nous sommes devant un réel mystère, mais n'oublions pas que les créatures enragées comme les chiens, les loups et même les hommes, manifestent une phobie extrême de l'eau et que, souvent, ils meurent à son contact prolongé.

» Les sorciers ont donc suivi la nature de près.

» Le poison *girrit* s'apparente à celui de la lycanthropie, mais il ne produit qu'un accès de rage passager, que les Chamanes s'entendaient sans doute parfaitement à entretenir chez leurs victimes. Ainsi, le terrible Nitikine se trouva, lui aussi, sous l'emprise de l'épouvantable autosuggestion; pendant les heures où il était *girrit*, il n'osait prendre de boisson et craignait la pluie et l'humidité. Ne cherchons pas à pénétrer plus avant dans les ténébreux arcanes des sciences occultes de l'Orient, nous ne pourrions émettre que des hypothèses plus ou moins fantaisistes.

» A présent, il nous reste à découvrir la retraite du

Dr Huxton et de sa femme, pour leur dire que le cauchemar de leur vie a pris fin et… que le roi Ankiran leur pardonne !

Il n'y a plus d'araignées au château de Glennock.

C'est devenu un superbe castel où deux beaux enfants font le ravissement de leurs parents.

Harry Dickson y vient souvent en automne, à la période des coqs de bruyère.

Le roi Ankiran est et restera désormais le Dr Gabriel Thorne ; il est toujours maître d'école à Glennock et il estime que cette dernière royauté en vaut bien d'autres !

MESSIRE L'ANGUILLE

1. La terreur des petits vieux

Une vitre vola en éclats, la silhouette agile d'un homme se dressa une seconde sur le rebord de la fenêtre, prit un élan furieux et disparut dans la nuit. Une forte lampe électrique, brandie à travers l'ouverture, promena un jet de clarté dans le jardinet mais, aussitôt, un coup de feu retentit, et elle sauta hors de la main qui la tenait.

— C'est un tireur joliment adroit ! bougonna Harry Dickson en considérant d'une mine piteuse l'objet tordu et sa main légèrement blessée par des éclats de verre.

Tom Wills, qui avait été renversé sur le parquet, se redressa de fort méchante humeur et ramassa le revolver qu'il avait laissé tomber.

— Sale Anguille, la voilà qui file, comme toujours !

Son maître partit d'un éclat de rire où l'on pouvait cependant discerner quelque dépit.

— Nous avons sous-estimé notre homme, Tom, avoua-t-il. Passer d'un bond à travers une vitre comme celle-ci est une belle prouesse.

— Il a dû s'entailler rudement la peau, opina Tom Wills.

— Je n'en crois rien, son élan était celui d'un lion qui franchit la barrière d'un *kraal*. Lancez de toutes vos forces un poing à travers une vitre et vous avez neuf chances sur dix de vous en tirer sans une estafilade. Messire l'Anguille a fait la chose en grand, voilà tout.

— Hé, là ! s'écria le jeune homme. Le bonhomme nous a laissé quelques dépouilles : une valise et un veston.

Il désigna du doigt un veston de laine marron, sur le dossier d'une chaise, et, sur le siège, une valise ouverte.

— Il était en pantalon et en chemise quand il a filé, ajouta-t-il.

Nouvel éclat de rire du détective.

— C'est un grossier... Ce n'est pas même digne de son originalité. Voulez-vous que je vous dise, mon petit ? Nous allons courir tous les tailleurs de Londres et tous les magasins de confection. Cela nous prendra un temps fantastique, et que trouverons-nous au bout de nos recherches ? Que le veston appartient à un honorable citoyen et qu'il a disparu d'une façon tout à fait mystérieuse ; il en ira de même de la valise. Cela ne m'étonnerait pas autrement qu'ils fussent la propriété d'un inspecteur de Scotland Yard, voire de notre ami Goodfield en personne.

— Voyons toujours la valise, murmura Tom, mal convaincu.

Il en vida le contenu sur le plancher.

— Hum, hum, des portraits découpés dans un magazine !

— Des portraits de Harry Dickson et même un de ce cher Tom Wills ! s'écria le détective en faisant tout de même la grimace.

— Il y a des inscriptions, observa Tom.

— Elogieuses, je suppose, ricana Harry Dickson.

Tom Wills lut :

— *Harry Dickson, protecteur des petits vieux gâteux.*

» *Harry Dickson, pêcheur malheureux d'anguilles.*

» *Harry Dickson, carabinier d'Offenbach, ou l'homme qui arrive toujours une minute trop tard.*

» *Harry Dickson, à la recherche du temps perdu à traquer Messire l'Anguille.*

Le détective haussa les épaules.

— Rodomontades, grogna-t-il. Peuh ! ce n'est pas très nouveau, ni même spirituel, Messire...

— Et pour moi, grinça Tom Wills, qui en rougissait de fureur : *Tom Wills, qui devrait se faire marmiton pour arriver à cuisiner une anguille !*

— Cela démontre pourtant quelque chose, dit à la fin le détective en repoussant la facétieuse valise, et en n'accordant plus une seconde d'attention au solitaire veston brun, c'est que Messire l'Anguille semble être bien au courant de nos faits et gestes, et surtout de nos projets. Il connaissait notre présence dans cette maison et en a profité pour nous donner une leçon à sa manière. Le bougre ne manque pas de cran.

A ce moment, une voix chevrotante s'éleva à l'étage :

— Il ne m'a pas déshabillé, il ne m'a pas retiré mon gilet de flanelle...

— Le vieux Simpleton est content, maugréa Harry Dickson, c'est toujours quelque chose.

Ils se trouvaient dans le salon-fumoir d'une maison bourgeoise de Halkin Street, près de Belgrave Square. La soirée était douce et une agréable tiédeur estivale entrait par la fenêtre brisée.

Un pas léger descendit les marches de bois lisses de l'escalier, avec un rapide et furtif tapotement de hauts talons, et une jeune fille en costume d'infirmière entra sans frapper dans la pièce.

A la vue de la glace en miettes et des mines déconfites des deux détectives, son visage maigre prit une expression revêche.

— Je vois, Mr. Dickson, que ce n'est pas encore aujourd'hui que se vengera l'affront fait au dernier des Castlemain, dit-elle d'une voix pointue.

— Ni celui fait aux honorables Plumwell, Hackdover, Smith, Holloway, Davidson, Brown, Garrison, Goldfinch, continua Harry Dickson, en saluant avec une exquise politesse.

— Assez ! Je ne vous autorise pas à mêler le nom de ces... épiciers à celui des Castlemain, entendez-vous, Mr. Dickson ? Vous m'avez fait jouer ici un rôle ridicule !

Harry Dickson ne se départit ni de sa bonhomie ni de sa parfaite urbanité.

— Vous avez voulu en être, Miss Barbara Castlemain, dit-il, et grâce aux instances de hautes personnalités du Yard, j'ai bien voulu vous adjoindre à nous dans cette ridicule aventure. Notre métier n'est pas fait uniquement de succès foudroyants. J'avoue d'ailleurs que

Messire l'Anguille est un rude lapin, que j'aimerais apprendre à mieux connaître.

— Jamais, cria l'infirmière en tapant du pied, vous n'y réussirez jamais, vous êtes ma foi aussi balourd que n'importe quel *bobby* de la police !

Elle était furieuse et tout son corps, chétif et mince, tremblait de fureur contenue.

— Comment va cet excellent Mr. Simpleton ? demanda Harry Dickson sans s'émouvoir outre mesure.

— Allez le lui demander vous-même, riposta la jeune fille, je m'en désintéresse. Je m'en vais, je retourne à Castlemain House. Je rougis de honte quand je pense que, pour arriver à un semblable résultat, j'ai dû jouer à la servante d'un petit gâteux, qui... qui... n'a qu'une femme de journée pour domestique, que j'ai dû lui donner la pâtée comme à un *baby*, lui sucrer son verre d'eau, prendre sa température. C'est ignoble !

Elle leur tourna le dos et partit en claquant la porte.

— Quelle pécore ! s'écria Tom Wills, j'ai envie d'aller lui arracher son petit bonnet blanc !

— Gardez-vous-en, *my boy*, dit Harry Dickson en riant, au fond, nous méritons bien quelques reproches. Voici une certaine anguille qui ne demande qu'à être pêchée, pour aller frire dans les poêlons de dame Justice, et nous la laissons filer après l'avoir quasiment tirée sur la berge.

L'affaire était pour le moins curieuse.

Depuis plusieurs mois, un étrange cambrioleur mettait toute la police de Londres sur les dents. Non qu'il emportât d'énormes butins, au contraire, mais ses procédés étaient tellement singuliers qu'il y avait lieu de croire qu'on se trouvait en présence d'un fou ou d'un maniaque.

Sur le point d'être pris, il parvenait toujours à disparaître à la dernière seconde ; en outre, il ne ratait jamais une occasion de se moquer de ses poursuivants, comme il venait de le faire avec Harry Dickson lui-même.

Son habileté, son intelligence, sa froide audace auraient dû lui permettre de ravir des trésors. Mais il ne se souciait nullement de vider les coffres-forts ou les écrins. Il bouleversait les bahuts les moins riches, vidait des tiroirs d'humbles commodes, jetait le désarroi parmi les laissés-pour-compte des vieux greniers. Cela fait, il surgissait, revolver au poing, masque sur le visage, devant ses victimes consternées, et les obligeait à se déshabiller à moitié. Une fois leur torse nu, il les tournait dans tous les sens, leur lançait une gifle sonore, la plupart du temps, et disparaissait, n'ayant souvent pas emporté pour la valeur d'un shilling, s'il emportait quelque chose.

Et qui étaient ces victimes ?

De lamentables petits vieux, la plupart du temps à moitié infirmes !

Aussi, à son surnom de « Messire l'Anguille » ajoutait-on le sobriquet de « Terreur des petits vieux ».

L'affaire Castlemain provoqua une émotion plus profonde.

Le vieux James Castlemain appartenait à la vieille noblesse anglaise, et l'aristocratie ne pardonne pas de semblables facéties.

Aussi, quand Castlemain House reçut à son tour la visite du bizarre monte-en-l'air, que, malgré ses cris de fureur et ses protestations indignées, il arracha au vieillard son pyjama de soie, et qu'en guise d'adieu il lui tira irrévérencieusement la barbiche, Scotland Yard trouva que la plaisanterie avait assez duré, et lança ses meilleurs limiers aux trousses du cambrioleur fantaisiste. Les malheureux en connurent de dures ! Ils furent bafoués sans pitié, et bientôt ils devinrent un sujet de risée pour la presse et un motif de couplets pour les chansonniers des boîtes de nuit.

La petite-nièce de James Castlemain, et son unique héritière, prit la chose au tragique. Elle ameuta littéralement les hommes d'Etat les plus éminents, exigeant une réparation éclatante pour l'affront fait à son grand-oncle et à son nom.

C'était une jeune fille austère et morose, qui avait depuis des années coiffé sainte Catherine et affirmait une fidélité absolue au célibat.

Sur la prière d'un ministre, Harry Dickson accepta de s'occuper de l'affaire. Déjà, il avait marqué un premier point et s'en était ouvert à Miss Castlemain.

— Toutes les « victimes », dit-il, sont d'anciens négociants en sucre des Antilles.

— Vous dites ? s'était écriée Miss Barbara, mon grand-oncle était planteur, *plan-teur*, entendez-vous ? Que vous appeliez les autres des marchands ou des trafiquants, peu me chaut, mais *nous*, nous étions des *planteurs* !

— Vous êtes en effet Antillaise, Miss.

— En effet, mais cela n'a aucune importance. Je veux que vous vous occupiez immédiatement de laver l'opprobre qui couvre désormais notre nom ! Un Castlemain traité comme un rien du tout !

— Puis-je vous poser quelques questions, Miss Barbara ?

— Si elles ont trait à l'œuvre de vengeance, je ne m'y opposerai pas !

— Vous en jugerez vous-même. Tous ceux qui ont été les victimes de Messire l'Anguille sont aujourd'hui des vieillards. Tous semblent être revenus il y a une quinzaine d'années à Londres, dans un état assez voisin de la gêne. Votre grand-oncle était parmi eux, bien que la fortune de Sir James fût, je crois, à l'abri à Londres.

Miss Barbara daigna acquiescer d'un signe de tête.

— Vous formiez alors une petite colonie très prospère s'occupant surtout de la production du sucre et de la fabrication d'un rhum célèbre, dans une île du groupe des îles Sous-le-Vent. Cet exode général...

La jeune fille prit la parole :

— Cette île, nommée comme par une coïncidence l'île de l'Anguille, à cause de sa forme sinueuse et allongée, et aussi parce que les océanographes prétendent que la mystérieuse migration des anguilles vers la mer des Sargasses se dirige surtout vers ses bords, cette île était essentiellement volcanique.

» Les plantations sucrières se suivaient le long de la mer, mais son *hinterland* se compose de forêts presque impénétrables. En son milieu se dresse un volcan, que les indigènes considèrent comme sacré, le Ma-Hi-Tiou. Il y a quinze ans, une terrible éruption détruisit une grande partie de la région. Des laves brûlantes se frayèrent un chemin à travers la forêt et atteignirent la mer en peu de jours, dévastant sur leur passage les plantations et les habitations. Ce fut la mort pour beaucoup d'entre nous et la ruine complète pour tous, car les terrains cultivés furent enfouis sous une épaisse couche de lave durcie, et devinrent à jamais impropres à l'agriculture. La plupart des colons étaient d'un âge avancé ; ils ne se sentaient plus la force de recommencer leur vie de travail. Réunissant les bribes de leur fortune, ils quittèrent l'île, devenue un désert, et retournèrent en Angleterre.

» Nous-mêmes, nous devons la vie au dévouement d'un de nos domestiques, Antharès, qui est resté à notre service en nous suivant dans notre exil.

L'entretien entre Harry Dickson et Miss Castlemain avait lieu dans la vieille maison seigneuriale des Castlemain, dans Aldwych, sous les regards dédaigneux des antiques portraits de famille.

Miss Barbara frappa sur un gong qui rendit un son musical et plaintif ; un superbe Noir entra aussitôt, à qui la jeune fille commanda du punch antillais.

— Antharès ? demanda Harry Dickson quand le domestique, après s'être incliné en silence, se fut éloigné.

— C'est lui. Il est d'un dévouement à toute épreuve. Si jamais le lâche insulteur des Castlemain est pris, je demande qu'il soit remis aux mains d'Antharès, dit-elle avec un sourire cruel.

Le punch antillais est une boisson merveilleuse, faite de rhum blanc, de citrons verts et d'un sucre spécialement clarifié. Harry Dickson le dégusta en connaisseur.

Et alors, ils tracèrent leur plan de campagne.

Ils passèrent en revue les différents membres de l'ancienne colonie résidant à Londres ; plusieurs étaient déjà devenus les victimes de Messire l'Anguille.

— Nous devons nous attendre à le voir s'en prendre aux autres, dit Harry Dickson, l'individu semble vouloir chercher quelque chose, mais avez-vous une idée de ce dont il s'agit, Miss Castlemain ?

Elle haussa les épaules et secoua la tête en signe de dénégation.

Harry Dickson prit son carnet de notes et se mit à y tracer des lignes.

— L'homme agit selon une certaine méthode, dit-il. Le dernier auquel il s'en est pris, c'est l'impotent Samuel Goldfinch, qui habite Sloan Street ; avant cela, il s'introduisit chez Silas Garrison, qui demeure à Eaton Terrace, non loin de là ; pour Elia Brown, il opéra dans Walton Street...

» Voulez-vous me donner la liste des coloniaux qui, à votre connaissance, résident à Londres et de préférence dans le voisinage des particuliers que je viens de vous nommer ?

Miss Barbara s'exécuta de bonne grâce.

— Je crois que, fidèle à sa méthode, notre homme ne tardera pas à faire une visite à Jeremias Simpleton, qui possède une maison dans Halkin Street, opina Harry Dickson, après avoir vérifié attentivement la liste.

— Nous pourrions lui tendre un piège, suggéra la jeune fille.

Le détective l'approuva.

— Ce sera facile et vite fait, je prendrai mon élève Tom Wills avec moi.

— Permettez, Mr. Dickson, je désire en être.

Harry Dickson n'accepta pas d'emblée, mais, quelques jours plus tard, l'intervention ministérielle eut lieu, et force lui fut de s'entendre avec l'héritière des Castlemain.

Il dut avouer que la jeune fille avait de bonnes idées, surtout quand elle lui proposa de jouer auprès du vieux Simpleton, retombé en enfance, le rôle d'infirmière.

Trois jours, ils montèrent une garde inutile.

Nous connaissons les résultats décevants de la quatrième veille.

2. Le carré rouge

— A qui le tour maintenant ? s'était demandé Harry Dickson en consultant la carte de Londres et en mettant en regard la liste fournie par Miss Barbara. J'y suis... le vieux Joe Haskins habite Lloyds Enclosure ou Lloyds

Clos, comme on dit plus couramment. N'est-il pas promis à une prochaine expédition de Messire l'Anguille ?

Lloyds Clos est une misérable enclave dans la sinueuse Lloyds Street qui s'ouvre dans Brompton Road. C'est une ruelle en cul-de-sac, où donnent les portes cochères des remises des rues voisines. Lloyds Street même n'aboutit pas complètement dans Walton Road, puisqu'elle est fermée par un haut mur de jardin. Les détectives eurent donc à s'enfoncer dans une sorte de dédale sordide, presque sans façades, sentant la lèpre des pierres.

Dans Lloyds Clos, il n'y avait qu'une seule maison, celle de Joe Haskins, un ivrogne solitaire aux mœurs douteuses.

Harry Dickson se présenta chez lui, et lui fit part des dangers qui le menaçaient. Il fut reçu sur le pas de la porte, et fort mal.

— Je me fiche de votre anguille, et je l'écorcherai vivante si elle s'avise d'entrer chez moi, hurla l'affreux bonhomme d'une voix d'ivrogne. Je n'ai besoin de l'aide de personne, qui me dit que vous n'êtes pas un voleur vous-même ? Allez-vous-en, ou je vous enfonce un pieu dans le cœur !

Dans sa main encore vigoureuse, le vieillard brandissait un lourd bâton taillé en pointe et faisait mine d'en assener un coup au détective.

Celui-ci n'eut que le temps de s'esquiver ; la porte claqua derrière lui.

— Il mériterait bien qu'on l'abandonne à son sort et à Messire l'Anguille, marmotta Harry Dickson, mais cela ne ferait pas notre affaire.

— Que d'attentes sous la pluie, que de pieds de grue nous allons faire dans ce site délicieux, sentant la crasse et la suie ! gémit Tom Wills quand son maître l'eut mis au courant du travail qui les attendait.

Ils auraient à surveiller malgré lui l'irascible Joe Haskins, blottis dans quelque encoignure moisie, l'œil aux aguets, l'oreille aux écoutes, et cela pendant des nuits et des nuits peut-être.

Tom Wills sentit s'approcher la triste série des jours aux repos malaisés, aux sorties nocturnes, aux heures passées à guetter des ombres et des rumeurs vaines, aux retours décourageants dans la bruine des aubes ternes.

— Nous pourrions mettre les hommes de Goodfield dans la combine, proposa-t-il.

— N'oubliez pas que nous avons un affront personnel à laver, mon petit, dit le maître. La nuit chez Simpleton est restée vivace dans ma mémoire. Il nous faut pincer Messire l'Anguille, sans quoi nous regretterons notre faiblesse. Conclusion : nous allons payer de notre personne, et rien que de la nôtre.

— Entendu ! répondit Tom, dont les révoltes n'étaient jamais bien longues.

— J'espère que ce damné garçon ne nous fera pas subir une trop longue attente, conclut le détective.

Elle dura une nuit... mais quelle nuit !

En prenant de l'âge, le fameux détective s'était mis à considérer certains crimes sous l'angle de l'atmosphère dans laquelle ils étaient perpétrés.

Dans de nombreux cas, l'examen de celle-ci, « l'exploration de l'alentour », comme disait quelquefois Dickson, avait conduit à la découverte du criminel ou à la solution du mystère.

Dans l'affaire de l'Anguille, l'atmosphère faisait défaut. Les faits étaient nets et brutaux. Ils se produisaient en coup de foudre, ils ne s'amorçaient sur rien, ils ne laissaient aucune trace.

Cela déconcertait quelque peu le détective, qui, avant tout, était un psychologue averti. De la décevante nuit chez Simpleton, il n'avait rien retenu, sinon la gratuite injure du bizarre cambrioleur. Castlemain House lui semblait plus près du crime, parce que c'était *une maison qui possédait une atmosphère.*

Mais laquelle ? Il n'aurait pu le dire, son instinct ne le guidait plus.

Pourtant, en quittant l'odieux Joe Haskins, il se sentit de nouveau à la lisière de quelque région hostile et inconnue.

La figure tordue du sénile débauché, sa terreur en voyant un inconnu se dresser sur son seuil, la colère qui armait sa main ligneuse, la maison même...

Car cette demeure, blottie dans la hideuse enclave de

la terne Lloyds Street, avait un visage. Un visage d'attente et d'épouvante. Elle suait littéralement la peur de cette attente.

Quelle attente ? Celle du crime ! Il y a des maisons torves qui appellent le forfait, comme il y en a de souriantes qui attirent le bonheur.

Et la longue et incertaine surveillance fut décidée.

Harry Dickson et Tom Wills quittaient lentement et à regret le centre urbain, aux mille et une lumières.

Lyon's Tea ! Lipton Tea ! clamaient des enseignes de feu vert.

Automobiles Pontiac et Chevrolet... inscrivaient des flammes rouges au fond du ciel brumeux.

Oxo... Guinness Stout... Whitread Ale...

Des guirlandes de lampes électriques affirmaient la splendeur des spectacles de Drury Lane ; un feu d'artifice, jailli des hautes bâtisses de Piccadilly Circus, attestait la gloire des *Sidac Papers*.

Tom Wills secouait tristement la tête ; il lui en coûtait de quitter cette féerie nocturne pour faire le guet dans une ruelle sentant le chat et la moisissure. Une bruine épaisse achevait de le mettre de méchante humeur.

A ses côtés marchait le maître, taciturne, la cigarette éteinte au coin des lèvres. Brompton Road s'ouvrait devant eux, longue et déjà assombrie, avec ses magasins de troisième ordre, économes de lumière.

Des zélateurs de l'Armée du Salut parlaient dans le vent, incapables d'attirer l'attention des petits employés et des colporteurs nocturnes.

— Toutes les soirées ne se ressemblent pas, marmotta Dickson en songeant à la radieuse nuit qui fut témoin de leur défaite. Espérons que la bruine nous sera plus favorable que les étoiles.

Lloyds Clos semblait les attendre, gueule béante, comme un monstre prêt à les avaler. La bruine s'y était muée en une humidité lourde et nauséabonde ; l'unique réverbère qui devait y jeter quelque clarté appartenait à une époque révolue. Jaillissant d'une muraille, au bout d'un grêle bras de fonte, il ne plaquait qu'un mince disque jaune sur les briques délavées. Son manchon à incandescence n'était plus qu'un amas de cendres blanches soufflant une petite flamme livide, prête à s'éteindre au moindre souffle de vent.

Il y avait une autre zone de clarté dans l'enclave, mais elle ne pouvait contribuer utilement à l'éclairage du lieu. C'était un rectangle d'un roux sale, découpé dans la lépreuse façade de l'unique maison.

Joe Haskins devait être chiche de luminaires, car seule une veilleuse à flotteur ou une chandelle de suif pouvait produire une si faible clarté.

Harry Dickson et Tom Wills la saluèrent pourtant d'un grognement satisfait, car le profil de bouc du vieil avare se dessinait de temps à autre sur les rideaux sales.

— Alors quoi, se plaignit Tom, on va rester ici de planton jusqu'au lever radieux du jour? C'est d'une gaieté plutôt féroce!

— L'endroit est mal choisi, approuva le détective, car, en cas d'agression, rien ne nous dit que cette ruelle servira de passage au visiteur nocturne. Je suis d'avis de m'installer dans la cuisine!

— Comment? Dans la cuisine de Joe Haskins? Mais il ne vous a même pas permis de mettre le nez dans le vestibule!

— Nous allons nous passer de son autorisation, *my boy*, plaisanta Dickson; l'accès à ce lieu de délices n'est pas trop difficile... Vieux démon d'Haskins, qui nous condamne à jouer aux cambrioleurs dans sa propre maison, pour sa propre sécurité!

Avec une aisance toute professionnelle, Harry Dickson ouvrit la porte vermoulue d'une remise voisine, traversa une pièce encombrée de vieilles roues, de planches pourries et de ferrailles abandonnées, atteignit une courette envahie d'une folle végétation et avisa une muraille basse et croulante.

— Voici l'unique barrière qui nous sépare du paradis terrestre que hante l'alcoolique présence de Joe Haskins, dit-il à Tom. Je vous fais la courte échelle. Une, deux, trois... hop! Je vous suis!

Ils sautèrent à pieds joints dans la terre meuble d'un effroyable jardin, où l'ivraie foisonnait à souhait.

Un volet branlant masquait une fenêtre du rez-de-chaussée. Dickson l'éprouva d'une main adroite, l'ouvrit sans le faire trop grincer, vit avec satisfaction qu'une partie d'un carreau manquait et atteignit sans peine l'espagnolette.

Une minute plus tard, ils étaient dans la place, et le volet, rajusté soigneusement, avait repris sa position première devant la fenêtre.

Il ne faisait pas sombre dans la cuisine, et les deux intrus purent se passer d'allumer. Une triste clarté tombait des toits voisins, reflets lointains de l'éclairage des rues adjacentes. Elle permit aux détectives de reconnaître le lugubre endroit qui servirait de décor à leur veille.

C'était une pièce très spacieuse, incroyablement sordide. Une large cuisinière aux tôles déchirées, mille fois réparée à l'aide de fils de fer, occupait presque toute la longueur d'un mur. Dans un coin, un évier en pierre noire exhalait une forte puanteur ; un robinet mal fermé laissait fuir un filet d'eau pleurard. Des casseroles éparses aux contenus douteux ajoutaient d'innommables relents à ceux de l'odieuse fontaine.

Les intrus trouvèrent place sur des escabeaux boiteux. Dans une pièce voisine, le timbre fêlé d'une horloge compta la demie de dix heures.

— Entrouvrez doucement la porte, Tom, dit Harry Dickson, je pense qu'une fois dans sa chambre le vieil Haskins ne quittera plus l'étage. Il paraît qu'il souffle sa lumière à onze heures précises, c'est le seul semblant d'ordre qui paraisse lui être resté.

Tom obéit, il poussa une tête dans le corridor obscur, mais la retira aussitôt avec un geste d'effroi.

Au même instant, une clameur insensée déchira le silence et deux globes de feu vert apparurent dans l'ouverture de la porte.

Harry Dickson, qui avait sursauté lui-même, se mit à rire doucement.

— Vos nerfs vous jouent un tour, mon petit, murmura-t-il, certes, c'est un chat de belle taille, mais ce n'est qu'un chat... Il n'ira pas dire qu'il nous a vus !

Ils se figèrent cependant dans une immobilité anxieuse en entendant une porte s'ouvrir à l'étage.

— La ferme ! Ouah ! Tais-toi, sale bête... fille du

diable ! Si je dois descendre, je t'écorche vivante, charogne !

Le chat ne se soucia nullement de la kyrielle d'injures, mais entra en ronronnant dans la cuisine, flaira le contenu d'un bassin, souffla d'un air déçu et, sans s'occuper de l'insolite présence des deux hommes, s'en retourna d'un air digne vers les ténèbres du corridor.

A l'étage, la voix furieuse reprit :

— Viens ici, Ouah, créature de Satan, il y a assez de rats dans ma chambre pour te remplir la panse pendant une semaine !

— Miaou ! répondit l'animal, et l'on entendit ses bonds feutrés dans l'escalier.

La porte de la chambre se referma sur lui.

— Onze heures ! compta Tom, comme la chanson métallique de l'horloge reprenait.

Un sommier cria longuement au-dessus de leurs têtes ; le vieil Haskins venait de s'embarquer pour le pays du rêve.

Jusqu'aux environs de minuit, la maison resta plongée dans le silence le plus absolu, sauf la plainte monotone du filet d'eau dans l'évier et une querelle de chats sur les toits voisins, dispute à laquelle Ouah sembla rester indifférent, au fond de la chambre.

Presque en même temps, les détectives entendirent le nouveau bruit qui s'immisçait dans le silence, sans réussir à être fixés sur sa nature.

Cela ressemblait à des éternuements étouffés, à des coups assourdis, à des murmures d'angoisse.

— Le vieux Joe a un cauchemar, expliqua Tom Wills. Le bruit vient de l'étage, j'ai grande envie d'aller écouter aux portes, bien que ce soit très vilain.

Ils s'avançaient dans le corridor, quand brusquement la porte de la chambre à coucher s'ouvrit. Aussitôt, une tempête de hurlements, de vociférations, de clameurs de rage, se déchaîna avec une telle violence que les deux détectives reculèrent un instant vers la cuisine.

Une frénésie diabolique semblait s'être emparée de la nuit tout entière.

Des rugissements de douleur, des appels d'agonie, le bruit de meubles renversés, de faïences brisées et, par-dessus tout, celui d'une course folle qui faisait frémir le plafond.

— Revolver au poing! ordonna Dickson en s'élançant hors de leur abri vers l'escalier.

Mais aussitôt, une rafale de coups de feu fut tirée du palier. Pourtant, elle ne leur était pas destinée, car les flammes des déflagrations étaient dirigées en hauteur, comme pour une sinistre parodie de chasse aux oiseaux.

Presque au même instant, un bond élastique se fit entendre à leurs côtés et une petite ombre s'enfuit.

— C'est le chat... on tire sur le chat, murmura Tom. Certainement, Joe Haskins est devenu fou.

Ils eurent à peine le temps de se jeter sous la spirale de l'escalier, que les marches de celui-ci sonnèrent sous des pieds pressés.

Une forme bondit à la poursuite du chat et se fondit dans l'ombre. On entendit une porte se refermer avec fureur et un bruit de pas dans la cour.

— Le vieil Haskins est singulièrement agile pour son âge, murmura Tom Wills.

— Agile... que dites-vous? Ah! par tous les saints...

Harry Dickson poussa une exclamation de colère.

— Vite, à l'étage! cria-t-il, oubliant toute prudence.

La porte de la chambre à coucher du vieillard était large ouverte; sur un coin de la cheminée, une chandelle de suif brûlait, fichée dans le goulot d'une bouteille. Un hoquet spasmodique martelait le silence... et alors, dans toute son horreur, les deux détectives virent la chambre.

Sur un ignoble lit de sangle, le vieil Haskins était couché dans une pose atroce. Les draps lacérés pendaient hors de la couche, et le corps de l'ivrogne gisait dans son horrible nudité.

Ils eurent l'explication du bruit régulier de hoquet: il montait de la gorge de l'homme dont la pomme d'Adam allait et venait frénétiquement, comme une bielle.

— Il meurt! s'écria Harry Dickson, et soudain il se tut, horrifié.

Un large carré rouge sombre semblait épinglé sur la poitrine nue du moribond.

Mais il suffit au détective d'y fixer un moment le

regard pour saisir l'effroyable nature du carré rouge : la chair de la poitrine avait été découpée et enlevée comme une toile de tableau hors de son cadre !

Les côtes mises à nu saillaient, tels de sanglants barreaux de cage ; un sang noirâtre poissait le ventre creux de l'homme.

Le hoquet cessa soudain : Joe Haskins venait de passer.

— C'est l'Anguille qui a filé dans l'escalier ! s'écria Tom en fureur.

Il y avait un paquet de chandelles suspendu au coin de la cheminée ; Tom fut invité à les planter dans des bougeoirs improvisés et à fournir une lumière aussi abondante que possible.

L'escalier en fut constellé, les lampes électriques des détectives entrèrent en jeu à leur tour, fouillant la chambre.

Elle présentait le désordre habituel des pièces par où Messire l'Anguille avait sévi. Des tiroirs avaient été vidés, des valises défoncées.

Harry Dickson huma l'air fétide de la chambre tragique... des relents pharmaceutiques y stagnaient.

— Tom, gronda-t-il soudain, nous sommes de grands niais. Pendant que nous étions à nous morfondre dans cette ignoble cuisine, Messire l'Anguille fouillait tranquillement les tiroirs !

— Tranquillement... releva le jeune homme, et Joe Haskins ?

— Il dormait... ou plutôt, il se mourait.

— Dormir... mourir... cela va-t-il ensemble dans ce cas ?

— Certainement, le bandit a endormi sa victime à l'aide d'un anesthésique puissant, un masque à chloroforme, puis il a procédé à une opération chirurgicale pas des plus ordinaires. Ses recherches durent se prolonger, car Haskins se réveilla. Les bruits sourds que nous avons entendus, ce sont les échos d'une lutte atroce : l'Anguille se jetant sur l'homme mutilé en essayant de lui appliquer encore une fois le masque sur la bouche.

— Et brusquement, il abandonne tout pour tirer sur le chat !

Harry Dickson s'élança soudain dans l'escalier.

— Où courez-vous, maître ? demanda Tom, étonné.

— Je veux retrouver le chat !

— Eh bien, vous pourrez courir ! murmura le jeune homme.

— Et surtout ce qu'il a volé !

Tom Wills oublia toute l'horreur du moment pour regarder son maître de l'air le plus ahuri du monde.

Mais Harry Dickson ne se souciait pas d'éclairer sa lanterne ; il promenait sa lampe électrique le long des marches de l'escalier, des dalles du corridor.

— Voyons la cour, l'entendit murmurer Tom Wills.

Le jeune homme le héla doucement :

— Un instant, maître, rappelez-vous que les coups de feu ont été tirés d'abord en hauteur. C'est que le chat s'apprêtait à filer vers les combles. S'il a vraiment volé quelque chose, il est fort possible qu'effrayé par les détonations, il ait lâché sa proie tout en rebroussant chemin.

Harry Dickson émit un sifflement admiratif.

— Bien, Tom, dit-il doucement, très bien, Tom.

C'était tout, mais c'était beaucoup pour l'orgueil de l'élève.

Le détective remonta l'escalier et se mit à gravir les marches raides qui conduisaient au grenier.

Tom Wills le vit se baisser brusquement, et l'entendit siffloter de nouveau.

Retourné au bas de l'escalier, le détective prit Tom par le bras.

— Nous n'avons plus rien à faire ici, sinon prévenir la police du fait que Messire l'Anguille de cambrioleur est devenu assassin. Les petits vieux peuvent dormir en paix à présent.

— Pourquoi s'arrêterait-il en si bon chemin ?

— Parce qu'il a trouvé ce qu'il cherchait sur la poitrine de Joe Haskins ; je suppose que ce doit être un tatouage. Mais si les anciens planteurs antillais n'auront plus à craindre la visite de cet étrange bandit, il n'en est pas de même pour nous, Tom !

— Je voudrais bien savoir pourquoi ?

— Parce qu'il mettra tout en œuvre pour récupérer le second objet qu'il convoitait et qui lui faisait retourner les armoires avec tant de frénésie. Et que cet objet est en ce moment en ma possession. Le voici !

Tom regarda avec un dégoût étonné l'objet malpropre que son maître lui tendait du bout des doigts.

— Peuh ! une sale pelote de laine ! Sur quoi vous fondez-vous, maître, pour affirmer qu'un pareil objet puisse le mener à jouer tant de tours pendables ? Dites-le-moi !

— Pourquoi aurait-il essayé de mitrailler le chat ? Pourquoi, oubliant toute prudence, s'est-il lancé à la poursuite de l'animal, laissant hurler sa victime à mort ? Pourquoi, sinon parce qu'il n'avait accompli que la moitié de sa mission mystérieuse !

— Pourquoi alors n'est-il pas venu la rechercher, sa pelote, qui devait être un jouet favori du chat ? s'étonna Tom.

— Parce qu'il connaît d'ores et déjà notre présence, et qu'il risque la potence s'il est pris. Parce qu'il sait que, à présent qu'il s'est révélé à moi comme le plus cruel des meurtriers, je n'hésiterai pas à lui envoyer une balle dans la tête. Pour ce soir, Messire l'Anguille se montrera prudent, quant aux autres soirs à venir... cela, c'est le mystère de demain.

Pendant que son maître parlait, Tom Wills avait dévidé machinalement la pelote, et soudain, il la rejeta avec dégoût.

— Regardez donc, Mr. Dickson, sur quelle saleté on a enroulé la laine !

C'était un doigt humain.

3. Le doigt volé

Nous n'allons pas nous étendre sur l'émotion provoquée par l'assassinat de Joe Haskins. Non que ce dernier fût sympathique, il s'en fallait de beaucoup, mais Messire l'Anguille, qu'on avait considéré jusqu'à ce jour comme un bandit d'opérette, apparaissait tout à coup comme un assassin aux procédés les plus atroces.

Si nous suivons Harry Dickson dans son enquête, nous éprouverons peut-être quelque étonnement de lui voir passer ses journées au British Museum et ses soirées en des lectures ardues.

Il ne parla plus ni du crime ni de Messire l'Anguille, comme si ce dernier n'avait jamais existé. Jusqu'au jour où il reçut une visite pour le moins curieuse, celle de Mr. Simpleton.

Mr. Simpleton s'annonça dans le vestibule par des cris et des glapissements. Il était installé dans une petite chaise roulante poussée par un domestique, qui avait d'ailleurs toutes les peines du monde à calmer l'irascible vieillard.

— Mr. Dickson, cria le valétudinaire, diable de Dickson, voulez-vous m'écouter, oui ou non ?

Mr. Simpleton paraissait en proie à une grande colère. Il roulait des yeux furibonds et menaçait de sa canne le détective apparu en haut de l'escalier.

— Bonjour, Mr. Simpleton, répondit Dickson, ne vous mettez donc pas dans un pareil état et dites-moi quel nouveau souci vous hante.

Le gâteux fit entendre un croassement discordant.

— Voilà, dit-il, par votre faute, on a cassé la plus belle vitre de ma plus belle fenêtre, et vous n'avez pas pris le bandit qui venait de me voler mon gilet de flanelle. Donnez-moi un morceau de sucre, ou je crie !

Le valet qui conduisait cette méchante ruine humaine se hâta de satisfaire ce désir en lui offrant un bonbon.

Mr. Simpleton s'empara du cornet entier et se fourra dans la bouche des sucres par poignées.

— Bon... sucre, hurlait-il tout en broyant, avalant, salivant... bon sucre, suis devenu millionnaire en sucre... Diable de Dickson !

Son attention un moment détournée par la gourmandise se reporta sur le détective et retourna vers l'objet de sa mauvaise humeur.

— Démon de Dickson, vous me l'avez volée... rendez-la-moi !

— Votre camisole de laine ? demanda le détective en souriant.

— Non, non, démon que vous êtes. Mon infirmière ! Elle était belle comme le jour, et elle n'avait pas sa pareille pour faire ma limonade. Rendez-la-moi, ou je vous ferai donner la bastonnade par mes valets !

Harry Dickson songea à la figure revêche de Barbara Castlemain et dut se faire quelque violence pour garder une mine sérieuse.

— Je suis désolé, répondit-il, mais je ne saurais vraiment pas...

— Voleur, bandit, racaille ! hurla Mr. Simpleton, il a caché mon infirmière dans sa maison. Je veux la retrouver. Il l'a mise dans une armoire.

Harry Dickson eut pitié du malheureux, et lui proposa de lui faire visiter la maison afin qu'il se convainque de l'absence de la précieuse infirmière. Cela calma Mr. Simpleton qui accepta.

Son valet dut le monter au premier étage, chaise roulante comprise, et Tom Wills assuma le rôle du pilote.

Mr. Simpleton oublia vite l'objet de ses préoccupations en voyant la table mise pour le thé, dans le bureau du détective — chose que Dickson faisait souvent, quand le travail pressait.

Mr. Simpleton prétendit se faire inviter sur l'heure ; il vida à peu près complètement le sucrier, se barbouilla les joues de *jam*, voulut goûter un morceau de tous les gâteaux.

— Mon cher Mr. Simpleton, dit enfin Harry Dickson, pris de commisération devant cette misère humaine, vous avez pu voir par vous-même que je ne garde pas votre infirmière ici.

— Hi, hi, pleura le vieillard, elle était si belle ! Je suis très malheureux !

— Je vous donnerai une demi-livre de chocolat, proposa Harry Dickson.

Le visage du vieux se rasséréna.

— C'est cela, mon bon ami Dickson, donnez-moi une livre de chocolat tout entière, et vous pourrez garder mon infirmière.

C'était dit d'une manière si comique que le détective

éclata de rire. Il se hâta d'aller quérir le paquet de chocolat à l'office et d'en faire présent au pauvre Simpleton, qui se retira heureux comme un prince, et manifestant sa joie exubérante en tapant de toutes ses forces avec sa canne sur le dos de son domestique.

Ce ne fut que dans la soirée que le détective constata la disparition de la macabre pelote de laine enroulée autour du doigt coupé.

Immédiatement, sa pensée se reporta sur Mr. Simpleton : c'était le seul visiteur de la journée.

Tom Wills, ivre de colère et de dépit, voulut voir dans l'infirmier un parfait simulateur, un être dangereux, le comparse de l'insaisissable Messire l'Anguille. Son maître dut le retenir de force, car déjà le bouillant jeune homme parlait d'alerter Scotland Yard et de faire cerner la maison du terrible Simpleton.

— Pas si vite, Tom, conseilla le détective, je ne prétends pas que Mr. Simpleton ait mis la main à la pâte dans cet étrange larcin. Allons le voir.

Dès Belgrave Square, ils pressentirent un événement insolite car, de loin, ils virent toutes les fenêtres de la maison de Halkin Street éclairées, et des ombres affairées passer devant elles.

Le portier les reçut avec des lamentations et des cris de terreur :

— Mon bon maître ! Ce pauvre Mr. Simpleton...

— Voyons, parlez, vous me reconnaissez bien, je crois, dit le détective, qu'est-il arrivé à Mr. Simpleton ?

L'homme reconnut en effet Harry Dickson et son visage s'éclaira.

— Ah, Mr. Dickson, vous allez pouvoir mettre la main au collet du misérable qui a mis notre pauvre maître dans un tel état. Venez le voir !

Simpleton était étendu sur un lit de repos, le front bandé de linges ; un médecin était à son chevet, il secouait la tête d'un air peu rassuré.

— Un attentat ? demanda brièvement le détective.

Le docteur fit un signe affirmatif de la tête.

— Plusieurs coups assenés sur la tête avec un objet contondant. Des plaies contuses, une hémorragie interne, plus probablement une fracture compliquée à la base du crâne.

— En réchappera-t-il, docteur ?

— Je n'ai aucun espoir, Mr. Simpleton n'est plus jeune et sa vigueur était déjà bien compromise. Je ne crois pas qu'il passera la nuit.

Sans perdre une minute, Harry Dickson procéda à l'interrogatoire de la domesticité. Toutes les réponses étaient identiques : on n'avait rien vu.

Le valet de chambre qui venait lui apporter son lait de poule, comme chaque soir, le trouva étendu, sanglant et sans mouvement, sur le plancher de sa chambre à coucher, où régnait le plus grand désordre.

Des tiroirs étaient entrouverts et leur contenu répandu par terre ; ce contenu était pour le moins bizarre : ce n'étaient que pelotes de laine de toutes les couleurs.

— Ecoutez... il parle, dit tout à coup le docteur.

Le malade baragouinait en effet des mots sans suite.

— Vilain... vilain... belle pelote... volée...

— Je crois que ce seront ses dernière paroles, murmura le praticien, il entre dans le coma.

Mr. Simpleton mourut une heure plus tard, sans avoir repris connaissance.

Harry Dickson, les dents serrées, quitta le lieu du crime, ayant cédé la place aux limiers de Scotland Yard qui, perplexes, ne sachant où donner de la tête, tournaient en rond, quémandant en vain un avis au maître détective.

— Mais comment cela s'est-il passé, demanda désespérément Tom Wills. Voilà un simple d'esprit... Ah ! Simpleton le bien nommé... qui s'introduit chez nous, y vole en un tournemain un objet stupide en apparence. Et on le tue une couple d'heures plus tard, pour lui voler précisément cet objet !

Harry Dickson tirait de fiévreuses bouffées de sa pipe.

— Et pourtant, l'explication est devant nous, à portée de la main, si je puis dire. Le hasard y joue-t-il un rôle ? Je dois l'admettre, mais j'affirme aussi qu'il fut habilement canalisé.

— On dirait que vous voyez comment les choses se

sont passées! murmura Tom Wills avec quelque véhémence.

— C'est peut-être vrai. Il me semble voir assez clair dans ce dernier crime.

» Aussi, je ne veux pas en faire un mystère pour vous. Messire l'Anguille sait donc que la sinistre pelote est en notre possession. Il la lui faut... sinon, il ne serait pas monté si tragiquement en grade, et de simple cambrioleur devenu assassin. Comme il est aussi intelligent qu'habile, il nous sait avertis et prêts à le recevoir s'il s'aventure dans la forteresse de Baker Street. Il ruse... c'est bien sa façon de procéder, allez.

» Il est indéniable qu'il connaît Simpleton, comme il connaît tous les vieux retraités antillais échoués à Londres. Il connaît sa manie: celle de collectionner les pelotes de laine. Il agit sur lui. Comment? Par hypnose? On pourrait le supposer, car un simple d'esprit comme Simpleton est matière malléable dans les mains d'un bandit. Mais, en général, je n'aime pas recourir à l'hypothèse de la suggestion hypnotique, c'est trop facile pour l'enquêteur, et trop difficile pour celui qui doit en user.

» J'aime à croire que quelqu'un ou quelque chose lui donne le regret de son ancienne infirmière, et, en même temps, parvient à lui faire comprendre que je cache les plus belles pelotes de laine dans ma maison.

» Ainsi guidé de façon occulte, il arrive ici... avec son idée fixe.

» Je m'absente quelques instants pour chercher la demi-livre de chocolat promise. Le hasard et la chance sont avec lui... il se jette sur mon tiroir, qui par malheur n'est pas fermé. Il découvre la pelote, il la dérobe.

» Une fois rentré chez lui, il prend grand plaisir à regarder l'objet qu'il vient de s'approprier. Le criminel apparaît et tente de lui enlever son butin. Mais aux yeux du pauvre Simpleton, c'est la fortune qu'on veut lui arracher. Il veut se défendre, il va appeler à l'aide.

« L'autre l'assomme, et, l'objet trouvé, s'en empare et s'enfuit.

Tom Wills leva la main.

— Un instant, maître, il me semble que je découvre

une lacune dans votre raisonnement : le criminel paraît... soit, mais Simpleton ne tient pas la pelote maudite dans sa main, puisque les tiroirs ont été explorés avec une hâte fiévreuse...

Harry Dickson éclata d'un rire joyeux, et il regarda son élève avec une admiration un peu attendrie.

— Je suis content de vous, Tommy, dit-il doucement. Et pour cela, je vais vous confier quelque chose, que je voulais tenir encore secret : Messire l'Anguille a tué pour rien le malheureux infirme. Il n'a pas trouvé la pelote au doigt coupé !

— Comment le savez-vous, maître ?

— Parce que je l'ai, moi, riposta le détective en ricanant, et en élevant contre la lampe une petite boule de laine oblongue.

— Mais ce n'est pas elle ! s'écria Tom Wills, celle-ci est de laine rouge !

— Précisément, mon petit ! L'autre était de laine brune et Simpleton ne l'avait pas trouvée jolie ; aussi, il avait simplement dévidé la première et entouré le doigt coupé de beau fil rouge.

— Comment le saviez-vous ?

— Ce n'est pas bien compliqué. D'abord, j'ai vu que les doigts du moribond étaient légèrement teintés d'écarlate, comme si quelque étoffe avait déteint sur eux. Ensuite, en manipulant les nombreuses pelotes, j'en découvris une humide au toucher. Elle devait contenir la phalange momifiée. Quant à Messire l'Anguille, il court avec, en poche, une pelote de laine brune dont le noyau est constitué par une allumette brûlée ou un bout de journal.

— Très bien, admit Tom Wills. On retrouve un doigt, mais c'est trop peu, car nous cherchons un homme.

Harry Dickson était retombé dans sa songerie.

Tom Wills, que la mauvaise humeur gagnait, rompit son silence.

— C'est peut-être vrai, tout cela, mais j'aimerais voir l'intérieur de la pelote, ne vous en déplaise, maître.

Harry Dickson lui jeta un regard moqueur.

— C'est ma foi juste, Tom. Harry Dickson peut se

tromper, je suis le premier à en convenir. Voyons cette boule magique.

Ils commencèrent à dévider le fil rouge et poisseux. Celui-ci s'allongeait, encombrant le plancher. On aurait dit deux braves gens d'intérieur occupés à quelque douce besogne ménagère.

— Voilà le doigt ! dit enfin le détective en tendant à Tom un horrible objet ratatiné.

— Pardonnez-moi, maître, murmura le jeune homme, tout confus.

Le détective posa l'affreuse relique sur une feuille de papier et l'examina à la loupe, sous la lumière de la grosse lampe ; mais soudain, Tom Wills le vit blêmir et se jeter en arrière.

— De l'eau bouillante, Tom, de l'alcool, des antiseptiques ! ordonna Dickson d'une voix rauque.

Le jeune homme, devant sa mine horrifiée, ne songeait qu'à lui obéir. Il ne fit qu'un bond jusqu'au laboratoire et en revint les bras chargés de fioles. Il retrouva son maître occupé à verser l'eau bouillante du thé dans une grande bassine.

— Trempez vos mains là-dedans, Tom, ordonna-t-il d'une voix qui n'admettait pas de réplique. Peu importe que vous vous brûliez. Faites comme moi...

Tom plongea les mains dans le bassin et poussa un gémissement de souffrance ; mais déjà, le détective lui badigeonnait les doigts à l'alcool.

D'âcres senteurs de chlore s'envolèrent des flacons vidés, des matières corrosives attaquèrent les chairs douloureuses.

— Je crois qu'en voilà assez, murmura enfin Harry Dickson. J'espère que ce traitement énergique aura suffi.

Il vit les yeux stupéfaits de son élève posés sur lui.

— Pardonnez-moi, mon cher garçon, les souffrances que je viens de vous imposer, comme à moi-même, d'ailleurs. Mais elles me permettent d'affirmer que Messire l'Anguille ne reviendra plus à la charge pour nous reprendre ce hideux petit moignon, dont la signification m'échappe encore pour l'heure.

Tom Wills secoua la tête.

— Je comprends, Tom, et je ne veux pas vous faire languir de curiosité.

» Vous avez largement mérité mes confidences à ce sujet.

» Le mystérieux bandit ne dévidera pas la pelote de laine brune qu'il a en sa possession : il s'en gardera bien, car il connaît le sort effrayant attaché à cette saleté. Elle est lépreuse, Tom ! Oui, c'est un doigt de lépreux...

La sueur froide perlait sur les tempes du jeune homme.

— Et vous croyez que ce rapide traitement de tout à l'heure est suffisant pour nous protéger de cet abominable mal ?

— J'en suis certain. C'est une lèpre sèche qui ronge ce débris, avec lequel nous n'avons eu que des contacts peu prolongés. N'empêche que l'homme averti que Messire l'Anguille paraît être ne courra pas inutilement le risque de l'implacable contagion pour une simple curiosité.

Le téléphone tinta sur la table.

— Si tard ! marmotta Tom en prenant le récepteur. Il est bientôt minuit !

A l'autre bout du fil, le correspondant hurlait si fort que Dickson, pourtant assis à distance du téléphone, entendit l'appel.

— Au secours ! Arrivez vite ! On nous tue... puis la communication fut coupée sur un déclic sec.

— Mr. Dickson ! s'écria le jeune élève, c'est la voix de Miss Barbara Castlemain !

— Ah ! dit tout bas le détective en prenant son chapeau et son manteau, allons voir... après tout... c'est dans l'ordre des choses. Cela semble vouloir se précipiter. En route !

4. Castlemain House

Castlemain House se distingue des sombres et orgueilleuses maisons seigneuriales d'Aldwych non parce qu'elle est la plus vaste, loin de là, mais parce qu'elle est la plus noire et la plus hautaine.

Elle fit autrefois partie d'un grand hôtel de maître; mais, par mesure d'économie, les propriétaires la coupèrent en trois, en louèrent les deux tiers et gardèrent l'aile gauche, haute et étroite. Les détectives, en tournant le coin de la rue obscure et provinciale, mal éclairée par des réverbères à gaz, virent le vantail du vestibule faiblement illuminé à l'intérieur par une lampe mise en veilleuse.

A peine Tom eut-il effleuré le pied-de-biche de la sonnette que la porte s'ouvrit. Une forme gémissante se tenait devant eux, pliée en deux dans un geste d'affreuse souffrance. Harry Dickson reconnut le Noir Antharès. Son beau teint de bronze était devenu cendreux, ses yeux étaient vitreux et il semblait aux lisières de la mort.

— Vite... Mr. Dickson, murmura-t-il d'une voix à peine audible, nous allons tous mourir. C'est fini... Oh! Sir James... oh! Miss Barbara!...

Une terrible blessure sillonnait le front du domestique noir et sa livrée était trempée du sang qui coulait encore de sa gorge ouverte.

— Qu'y a-t-il? commença Dickson.

— Ne vous occupez pas de moi, Sir...

Il se traîna comme une bête mourante vers un salon à la porte ouverte, où luisait l'avare clarté d'une unique lampe.

Miss Castlemain, étendue sur une chaise longue de forme désuète, ne bougeait plus. Ses joues étaient d'une pâleur brillante, comme si un feu intérieur y couvait, ses yeux grands ouverts reflétaient la clarté de la lampe.

Harry Dickson lui prit les mains: elles étaient humides et glacées, un peu de rigidité commençait à se manifester.

— Morte ! s'écria-t-il avec horreur.

Un sanglot retentit derrière lui.

Antharès, blessé à mort lui aussi, se traînait à quatre pattes vers le cadavre de sa maîtresse et, d'une main malhabile, il porta le bord de sa robe à ses lèvres.

— Je suis content de mourir, moi aussi ! pleura-t-il.

— Où est Sir James ? demanda le détective.

Le domestique leva une main tremblante vers une porte entrebâillée :

— Mort ! Ils l'ont tué d'abord !

Harry Dickson s'élança vers la pièce indiquée.

C'était un salon triste et obscur, transformé en bureau. Sur la table, un appareil téléphonique était renversé, et, près de lui, dans la lumière verte d'une petite lampe de bureau, on voyait une tête chenue, livide, poissée de sang, et une main hideusement crispée.

Harry Dickson reconnut Sir James Castlemain, et il vit aussi que la mort avait fait son œuvre ; une balle avait atteint le vieux gentilhomme en plein front et sa mort avait dû être instantanée.

— Antharès ! s'écria le détective, dites-nous vite ce qui est arrivé !

Un râle lui répondit de la pièce voisine.

Tom Wills s'empressa auprès du moribond ; une écume sanglante lui moussait aux lèvres ; le râle de l'agonie s'accentuait.

— Dites vite, Antharès, supplia le détective, dites... pour que l'on puisse vous venger. Vous, votre maître... Miss Barbara.

L'homme fit un effort suprême.

— L'Anguille ! rauqua-t-il... Coup de feu... j'ai trouvé Sir James mort... Miss Barbara au téléphone... Messire l'Anguille est sorti de l'ombre... il frappe... il frappe... il la tue... il me tue !

— Vous l'avez reconnu ? cria Harry Dickson.

Le Noir ouvrit des yeux emplis d'une horrible épouvante.

— Oui... oui... je le reconnais... c'est un démon... un fantôme... c'est...

Sa tête retomba et son souffle se fit de plus en plus court.

— Pour l'amour du Ciel, parlez, Antharès... un mot encore... un seul mot : qui est-ce ? crièrent à la fois Harry Dickson et Tom Wills.

Le domestique jeta une longue clameur d'agonie :

— Joe Haskins !

— Impossible ! s'écria le détective, Joe Haskins est mort, assassiné.

Les mains du moribond se crispèrent sur le bras de Dickson.

— Joe Haskins... je l'ai vu... c'est lui, je le jure !

L'étreinte se desserra tout à coup et la tête du domestique heurta le plancher avec un bruit sourd.

Le détective se pencha sur lui.

Aucun souffle ne s'échappait plus de sa bouche tordue, les yeux levaient vers le plafond des prunelles éteintes. Antharès avait rejoint dans la mort ses maîtres bien-aimés.

Pendant des minutes interminables, Harry Dickson resta à contempler, les bras croisés, ces morts énigmatiques qui emportaient dans leur tombe un secret formidable ; il les couvait de regards lourds, comme s'il voulait leur arracher une explication posthume.

— Comment est morte la jeune fille ? demanda Tom Wills, en montrant le cadavre de Miss Barbara.

De larges ecchymoses couvraient le front et les tempes de la morte. Son peignoir était entrouvert, découvrant une belle poitrine blanche où coulait un très mince filet de sang, hors d'une minime blessure. Une vilaine teinte verte s'emparait déjà de la chair.

Harry Dickson prit un air soucieux.

— Un coup de poignard, dit-il, après une série de coups de poing... mais le couteau n'a pas pu faire œuvre de mort... Voyez cette couleur sinistre des chairs ! J'y suis ! L'arme a été empoisonnée !

— J'avertis le Yard ? proposa Tom Wills.

— Le téléphone a été mis hors d'usage, répondit Harry Dickson, lancez le coup de sifflet d'appel dans la rue, l'agent de service ne tardera pas à accourir.

Tom Wills se dirigea vers la porte et poussa soudain un grognement de surprise.

— Qui diable a fermé cette porte ?

Harry Dickson saisit la poignée d'une main robuste : la porte ne s'ouvrit pas.

— Enfermés, gronda-t-il, et quelle porte ! Elle ferait honneur à une prison !

Il se dirigea vers les volets et, à son tour, cria de surprise et de colère.

De formidables volets blindés obturaient les fenêtres, comme des portes de coffre-fort.

— Allons voir dans la chambre voisine, dit-il, mais un pli d'inquiétude barrait son front et ses lèvres tremblaient.

» Là... je me le disais, ajouta-t-il au bout de quelques minutes. Portes closes, volets posés. Nous sommes pris comme des rats dans un piège. Tandis que nous nous occupions de ces morts et de ce mourant, on nous enfermait !

— Mais les volets ? J'admets les portes, objecta Tom.

— Les volets blindés et fermés sont l'œuvre des habitants craignant une intrusion de Messire l'Anguille ; les portes closes dans notre dos, celle de ce mystérieux forban.

— Qui était donc encore dans la maison... qui y est peut-être encore, glapit Tom Wills, au comble de la rage.

— Attention ! cria soudain le détective en laissant tomber le rossignol qu'il s'apprêtait à enfoncer dans une des serrures. Faites vite, Tom, mettez votre mouchoir devant votre figure !

La couleur de la lampe avait soudain changé : un brouillard jaune l'auréolait sinistrement pendant qu'une vague et douce odeur d'amande amère envahissait la chambre.

— Des gaz empoisonnés ! gémit Tom Wills dont les tempes commençaient à battre étrangement.

L'atmosphère s'alourdissait de seconde en seconde et les détectives reculèrent vainement dans la chambre de Sir James, où déjà la mortelle odeur les poursuivait, et où le brouillard jaune se mettait à tourner autour de la lampe du sinistre bureau.

— La cheminée ! hoqueta le détective.

Comme toutes celles de ces vieilles maisons seigneuriales, elle était large et menait comme un passage noir vers les combles et les toits.

Un souffle frais leur caressa le visage et ils respirèrent plus librement.

— Des crampons ! s'écria le détective en saisissant à pleines mains des barres de fer feutrées de suie. Montez, Tom !

— Sauvés ! s'écria le jeune homme, mais il avait à peine dit cela qu'il poussa un hurlement de douleur.

Une fine langue rouge venait de lui lécher les mollets, y imprimant une douloureuse morsure ; en même temps, des volutes de fumée les enveloppèrent et, sous leurs pieds, ils virent une lueur sinistre grandir avec une vélocité inouïe. Aussitôt, ils sentirent que les parois devenaient brûlantes.

— Mais la maison brûle ! s'écria Tom.

— Montez ! rugit le détective, montez, si vous tenez à la vie !

Presque en même temps, de terribles crépitements éclatèrent de toutes parts, accompagnés de détonations assourdies.

— On met le feu à la demeure, et au moins par une vingtaine de foyers à la fois, tonna Harry Dickson en empoignant Tom d'une main et en se hissant toujours de l'autre dans le trou noir.

Ah, la fantastique et interminable montée !

On aurait dit qu'elle ne cessait de s'allonger, que le nombre des crampons déjà brûlants se multipliait à la folie. Autour d'eux, ils entendaient la formidable rumeur du brasier qui s'amplifiait de seconde en seconde.

Mais au-dessus de leurs têtes, il y avait un unique point brillant, et Dickson le regardait avec une intensité d'espoir insensée : c'était une étoile !

Ils approchaient du toit.

Enfin, le maître sentit l'air nocturne plus frais, bien que déjà attiédi par le souffle de l'incendie. D'un effort surhumain, le détective empoigna un rebord de briques chaudes, tira à lui Tom défaillant, et, avec un rugissement de joie, se trouva sur le faîte d'un toit aux tuiles déclives.

Mais autour d'eux, le ciel s'embrasait, ils étaient au centre d'un vaste feu d'artifice qui jaillissait de la maison en flammes; d'en bas montait la clameur d'une foule apeurée.

Harry Dickson ne perdit pas une seconde à contempler le désastre. Il entraîna Tom vers les toitures voisines, des ruades de flammes dans le dos.

Un jet glacé les frappa soudain et ils crièrent de joie: une lance à incendie venait d'être braquée, et les ombres des pompiers s'élancèrent bientôt vers eux et les soutinrent. Sauvés!

Castlemain House n'était plus qu'un brasier fantastique où s'écroulaient murs et toitures, et si grande était la violence du feu que les pompiers eurent fort à faire pour préserver les immeubles voisins.

Quelques heures plus tard, leurs blessures pansées, les deux détectives, accompagnés des agents de Scotland Yard, revenaient sur les lieux.

De la vieille demeure, il ne restait que quelques décombres fumants qu'arrosaient de nombreuses lances. Deux maigres pans de murs calcinés restaient encore debout, mais bientôt, ils s'écroulèrent.

Revêtus de vêtements appropriés, les détectives commencèrent à fouiller les cendres brûlantes.

Tout ce qu'on retrouva des malheureux habitants de Castlemain House, ce fut quelques cendres grasses et quelques ossements noircis.

Messire l'Anguille, de cambrioleur étant devenu assassin puis incendiaire, s'était évanoui comme les dernières fumées qui montaient des ruines vers l'aube laiteuse de la nouvelle journée.

Harry Dickson retourna chez lui. Il était battu.

Son esprit, sa logique étaient en révolte. Il entendit les derniers mots échappés à l'agonie du malheureux Antharès: Joe Haskins!

Le mourant accusait un mort!

Tom Wills n'osait regarder son maître, mais quand il le vit plus calme, il fut fort étonné de constater que le détective feuilletait posément des indicateurs, des horaires, des atlas maritimes.

— Partons-nous? demanda-t-il à mi-voix.

— Oui, Tom, pour un long voyage. La solution vient de reculer vers de lointaines latitudes.

— Les Antilles ? demanda soudain le jeune homme.

Harry Dickson acquiesça.

— Cela nous prendra des semaines, peut-être des mois.

— Il faudrait faire surveiller les ports, car je pense que vous vous lancez à la poursuite de Messire l'Anguille.

— Poursuite ? Non, pas du tout... bien au contraire ! Je ne désire nullement le poursuivre pour le moment.

— Mais que faites-vous alors, maître ?

Harry Dickson émit un petit sifflement bizarre.

— Je veux arriver avant lui, Tom, dit-il simplement, en formant au téléphone le numéro d'une des grandes firmes maritimes de Londres.

5. Le morne bleu

Le vapeur hebdomadaire quittant Fort-de-France et faisant route vers quelques ports antillais n'emportait pas beaucoup de voyageurs. C'était un vieux cargo hollandais voguant sous pavillon français, mais pourtant d'une nationalité indéterminée. Anglais, français, hollandais ? Peu importe, il était antillais avant tout. A son bord, il y avait peu de Blancs, plusieurs mulâtres se donnant des airs d'Européens, des Noirs bavards, des métis du Sud à la figure torve et énigmatique.

L'horaire du *Gay-Lussac* était fort fantaisiste, la régularité de son parcours tout autant ; aussi le capitaine Duvaux n'avait-il fait aucune difficulté devant la requête de ses deux passagers de marque, Harry Dickson et Tom Wills. A la fin du jour, le vapeur ferait un crochet de quelques milles et, au matin suivant, on verrait l'île de l'Anguille par le travers de bâbord. L'endroit ne présentant plus de mouillage sûr depuis les dernières convulsions volcaniques, qui avaient fait naître des hauts-fonds, on débarquerait les passagers dans une des parties les mieux abritées de la côte.

Aristide Duvaux était un causeur charmant. Il abhorrait les gens de couleur et n'en souffrait aucun à sa table, aussi avait-il fait un accueil parfait aux deux Anglais.

— Je suis certain que l'île doit présenter quelque intérêt pour des savants venus pour y faire des observations météorologiques et géodésiques, déclarait le marin. Mais à part cela, c'est une des terres les plus ingrates que je connaisse de par le vaste monde. Depuis que son volcan, le Ma-Hi-Tiou a fait des siennes, l'île n'est plus qu'une énorme scorie aride et brûlée, à part les forêts infâmes et pouilleuses, sans essences de rapport.

— L'île est pratiquement abandonnée, je crois, dit Harry Dickson.

— Pas complètement. On raconte qu'une très pauvre tribu, fétichiste en diable, y habite encore, mais jamais je n'ai vu la moindre forme humaine le long de ces tristes rivages. Certes, vous pourrez vous ravitailler assez bien sur l'île même, car le gibier d'eau y abonde et la forêt aussi doit donner asile à quelques belles pièces, ainsi qu'à des fruits sauvages, mais je vous félicite d'avoir emporté des vivres en quantité et d'avoir recruté des porteurs noirs. Sinon, vous pourriez jouer aux Robinson Crusoé !

Les Sargasses fumaient à l'horizon dans une brume verdâtre, l'eau huileuse arrivait en grands plis mous jusqu'à l'étrave du bateau qui la fendait avec un bruit aigre de soie déchirée.

A l'avant, les porteurs noirs entonnèrent un chant mélancolique et une guitare hawaiienne se mit à sangloter une musique bizarre, toute en notes humides, qui ajoutait à la tristesse de l'heure.

Le capitaine Duvaux fronça les sourcils d'un air mécontent.

— Je n'aime pas les mélopées de ce genre, même si ce sont vos hommes qui les chantent, et s'ils auront quitté mon bord demain à l'aube. Mes hommes resteront pendant des journées encore sous leur pernicieuse influence.

— Au fait, que chantent-ils donc ? demanda Harry Dickson.

— Hum, c'est assez difficile à comprendre, et donc à expliquer. Mais je crois saisir qu'ils parlent des effroyables rites du culte Vaudou.

— Si je ne me trompe, ce serait une odieuse religion de sorcières, propre aux régions forestières de ces contrées, remarqua le détective.

— Vous avez raison, monsieur, c'est une horreur sans nom, contre laquelle nous ne pouvons que peu de chose, hélas. Et pour en revenir à vos porteurs, il me semble qu'ils ont peur, et qu'ils appréhendent d'entrer dans la forêt. Pour conjurer les esprits mauvais, ils chantent les hymnes lugubres que vous venez d'entendre.

Tom Wills somnolait dans un confortable transatlantique et n'écoutait guère ; Harry Dickson, la pipe aux lèvres, regardait monter la lune sur les terres de mensonge des Sargasses.

Le capitaine Duvaux prit un air embarrassé.

— Mon cher monsieur, permettez-moi de vous donner un conseil : évitez le volcan Ma-Hi-Tiou. C'est un avis que j'ai déjà donné à deux voyageurs danois, et ils s'en sont très bien trouvés.

Harry Dickson dressa l'oreille.

— Vous voulez parler d'Ekelssen et de Maldsen ? J'ai lu leur remarquable livre de voyages. Il me semble pourtant qu'ils n'ont pas évité le volcan en question ?

— Ils l'ont fait, et leur livre, pour être superbe, manque de vérité sur ce point. Qu'importe !... Mais si j'en crois les chansons de tout à l'heure (et elles mentent rarement, ces chansons-là), l'époque la plus dangereuse pour approcher la mystérieuse montagne est celle que vous avez choisie.

— Je vous serais très reconnaissant, capitaine, de m'en donner la raison, si vous le pouvez, dit Harry Dickson, frappé par le ton sincère du marin.

— Je pourrais difficilement le faire et les chanteurs de même. N'oubliez pas qu'ils procèdent par images et non par allusions directes à tel ou tel danger. Mais je veux faire un effort pour traduire leur curieux jargon.

» Ecoutez : « Quinze fois l'oiseau Thi s'est perché sur la tête rouge de la montagne. C'est l'instant où la gardienne du volcan ouvrira les portes de l'or et du feu. Elle les a fermées un soir de grande terreur, en disant que l'oiseau Thi devrait revenir quinze fois avant qu'elles soient de nouveau ouvertes.

» Quel est le superbe inconnu qui rendra son doigt à la sorcière, qui lui fera présent de l'image de Thi burinée dans la chair de l'homme, et lui apportera, en offrande, une femme aux cheveux de soleil, qui sera pour l'éternité sa servante ? Elle lui donnera l'or et le feu... mais les autres hommes seront voués aux supplices les plus cruels avant de mourir dans le ventre du volcan. »

Harry Dickson avait laissé s'éteindre sa pipe, ses yeux brillaient comme des étoiles, il respirait profondément, mais il garda néanmoins le silence.

— En d'autres mots, continua Aristide Duvaux, on prédit un cataclysme à peu près pareil à celui qui détruisit une partie de cette malheureuse île il y a vingt ans. Des sacrifices humains, et même celui d'une Blanche. Gardez-vous, monsieur, et n'épargnez aucune munition pour coucher par terre quelques-unes de ces canailles qui infestent la forêt, si toutefois il en existe encore.

De fins nuages noirs passaient devant la lune, transformant le disque d'argent en un grimaçant visage démoniaque.

Le capitaine Duvaux jeta son cigare à la mer et secoua la tête.

— J'aime mieux sentir sous mes pieds le pont de mon vieux rafiot que la terre ferme de cette île maudite, dit-il à mi-voix. Elle ne tardera pas à paraître. Voyez-vous cette ligne blanche portée par les vagues sombres ? Ce sont les premiers brisants de la côte accore de l'Est.

— Et cette ombre conique, est-ce un nuage ? demanda Dickson.

— Le Ma-Hi-Tiou, répondit le marin en réprimant

avec peine un frisson. Je vais connaître quelques nuits blanches, monsieur, à penser que vous êtes les voisins de cette vilaine et énigmatique montagne.

De la baleinière qui approchait de l'île à coups de rames, on pouvait voir les sinistres abords de cette dernière se préciser.

Les côtes accores de l'Est devenaient accessibles vers le sud et enfin se terminaient en plages de sable rouge. Ici et là, les palétuviers avançaient dans la mer, hauts sur pattes comme des faucheux immobiles.

Des coulées de lave brune venaient du fond du pays vers l'océan comme d'immenses chaussées de géants. Mais, en une vingtaine d'années, la luxuriante végétation tropicale avait eu raison de la pierre qui avait éclaté en d'innombrables endroits sous la poussée d'une sève toujours victorieuse au soleil du Capricorne.

Partout la forêt avait gagné sur la friche, et l'on voyait des bosquets d'aréquiers et de jeunes fromagers jaillir hors des lourds taillis de lauriers-roses.

La baleinière accosta ; les porteurs sautèrent dans l'eau et coururent à grands bonds vers la terre ferme, la présence des raies à dard dans les eaux basses les incitant à la vélocité.

Le *Gay-Lussac* lança trois appels de sirène, et lentement l'Union Jack monta à l'artimon. C'était l'adieu des marins français aux voyageurs venus de l'Angleterre amie.

Harry Dickson monta sur une dune de sable rouge et inspecta les alentours.

Il avait résolu de camper ce jour-là non loin de la mer, et de ne commencer la marche sur l'*hinterland* sylvestre que le lendemain.

Vers l'est, des formes confuses apparaissaient. On pouvait distinguer à la jumelle un embarcadère démoli mangé jusqu'aux fibres par le taret, et des constructions tombées en ruine : tout ce qui restait d'une colonie sucrière jadis opulente entre toutes !

A deux kilomètres de là, vers le nord, ouaté d'une

brume légère que le soleil montant buvait déjà, une basse colline ronde, un morne, se précisait.

Cela lui parut un excellent endroit pour un campement provisoire et, immédiatement, il donna ordre d'y transporter les bagages.

La lave semblait avoir épargné cette bande de terre qui apparaissait comme une enclave dans le désert pierreux d'alentour. Le sol, d'abord de sable ocreux, prenait à mesure qu'on avançait vers le morne, une consistance marneuse et une coloration bleu sombre.

Deux ruisseaux d'eau fraîche, bien que d'un goût légèrement salin, coupaient la plaine doucement vallonnée que dominait le morne bleu.

Tom Wills marchait en tête avec deux solides porteurs : Harry Dickson, entouré des quatre Noirs restants, fermait la marche.

Tom atteignait la base de la colline quand son maître lui vit faire des gestes de surprise ; presque aussitôt, la voix de son élève lui parvint.

— Holà, maître, venez donc voir !

Harry Dickson pressa le pas et bientôt se trouva aux côtés de Tom Wills, contemplant un spectacle inattendu : de nombreux bidons d'essence, vides de leur contenu, jonchaient le sol.

— Ils ne datent pas de bien longtemps, constata Tom Wills, c'est à peine s'ils portent quelques traces de rouille.

— C'est vrai, approuva le détective, « *on* » est venu avant nous, et cela ne m'étonne guère. Nous avons perdu un peu de temps en Angleterre ainsi qu'à Fort-de-France pour nous équiper convenablement. « *On* » est venu en yacht à moteur.

» On en loue dans toute l'île de Cuba, où de semblables petits navires foisonnent. Rien de bien stupéfiant, par conséquent. Ce qui est plus curieux, c'est qu'on a eu l'air d'allumer ici un véritable feu de joie à l'aide de cette essence copieusement répandue ; voyez donc ces buissons calcinés.

La tente fut dressée au pied du morne, et les porteurs, s'étant éloignés d'un mille du campement, revinrent avec force brassées d'herbes sèches et de hautes sagittaires parcheminées, à l'aide desquelles ils construisirent des paillotes en un rien de temps.

Des feux furent allumés et la popote mise à cuire.

Les Noirs, qui avaient reçu de larges rations de rhum et d'*arak*, se montraient satisfaits, et, assis à croupetons, fumaient de formidables cigares de tabac humide.

Vers la méridienne, après un repas qui ne laissait nullement à désirer, Tom Wills fit la sieste, mais Harry Dickson se plongea une dernière fois dans la lecture de quelques livres qu'il avait emportés.

— Dans quatre jours, la lune sera pleine, murmura-t-il. Il faudra alors que nous soyons au pied du volcan. Il n'est pas bien grand, si j'en crois les ouvrages qui en parlent, et je suppose qu'il ne nous faudra pas chercher bien longtemps, pour...

Tom Wills, qui ne dormait que d'un œil et qui avait entendu les derniers mots de son maître, acheva pour lui :

— ...pour mettre la main au collet d'un bandit fameux. C'est égal, il en faut, des marches et des contremarches, rien que pour pincer une sale bête comme Messire l'Anguille !

— Je crois que cela en vaudra la peine, répondit mystérieusement Harry Dickson.

Le soir n'allait pas tarder à amener ses ombres ; sous les tropiques, les crépuscules ne durent que quelques minutes. La merveilleuse heure violette dont parlent les voyageurs se réduit en fait à moins d'un quart d'heure.

Des lueurs citrines baignaient l'horizon de la mer ; soudain, l'un des Noirs, qui revenait de corvée et s'apprêtait à gravir le morne, se mit à pousser des cris lamentables.

— Des morts ! Beaucoup de morts ! criait-il.

Harry Dickson, Tom Wills et les porteurs coururent à sa rencontre.

L'homme désignait en tremblant des formes grêles étendues sur le sable.

— Des squelettes ! s'écria Tom.

Harry Dickson les examina d'un air songeur.

— Hum, grommela-t-il, il n'y a pas longtemps, ces ossements appartenaient à des hommes bien vivants.

— Je croirais plutôt qu'ils ont séjourné pendant un siècle dans le sable, et qu'un vent de tempête les a découverts ensuite, répliqua son élève. Regardez donc : ils sont polis comme de l'ivoire.

— Précisément, ils sont trop nets ! On dirait un travail d'anatomie exécuté pour un musée.

Harry Dickson examina les crânes un à un. Il y en avait cinq en tout, qui jonchaient le sol à peu de distance les uns des autres.

— Des Noirs, murmura-t-il. Aucun Blanc n'était parmi eux. Je me demande quel drame s'est joué dans cette solitude.

Les porteurs noirs s'étaient groupés à quelque distance d'eux ; les yeux fixés sur les squelettes, ils tenaient un conciliabule fiévreux.

— Deux douilles de cartouches de revolver ! s'écria Tom Wills en ramassant deux petits tubes en cuivre jaune.

— Les cartouches d'un Webley, murmura Dickson.

— Je crois que c'est un Webley que Messire l'Anguille promenait sous le nez de ses victimes, observa Tom Wills.

— Il se peut fort bien que ce soit lui qui ait tiré les balles.

— Sur qui ? Sur les Noirs ?

— Je ne le crois pas. Aucun de ces hommes n'a été tué d'un coup de feu. Le tireur inconnu a dû viser autre chose, mais quoi ? Et pourquoi seulement deux balles, alors que le feu d'un Webley est rapide, et que le péril entraîna cinq hommes dans la mort ? murmura Harry Dickson.

Soudain, d'affreuses clameurs s'élevèrent et les deux détectives virent que leurs porteurs s'éloignaient en courant, tout en faisant des bonds bizarres.

— Wati ! Wati ! hurlaient-ils, pris d'une terreur panique.

Mais ce fut au tour du détective de bondir. Il prit son élève par le bras et l'entraîna de toutes ses forces vers la tente.

— Vite ! Aux bidons d'essence ! Ouvrez-les sans retard, éventrez-les ! Mettez le feu au liquide, au risque de nous faire griller ! Ce serait toujours une mort préférable à celle qui nous attend, si le sort est contre nous !

Tom Wills ne se donna pas la peine de comprendre ; il ne voyait que le visage de son maître, et celui-ci était décomposé par un effroi et un dégoût sans bornes.

— Les bagages, gémit Tom Wills.

— Tant pis, nous en sauverons peut-être assez demain quand le jour reviendra, si nous sommes encore en vie.

Tout en parlant, Harry Dickson avait ouvert un bidon d'essence, et en répandait des flots derrière lui en courant.

— Faites comme moi, Tom !

Un briquet flamba et, aussitôt, une formidable gerbe de feu se mit à courir après les hommes.

Tom Wills imita son maître... mais soudain, il vit, et l'horreur faillit le faire tomber à la renverse.

Tout autour du morne bleu, la terre semblait s'être animée d'une vie abominable. Ce n'était plus qu'un grouillement hideux de pattes velues et de pinces grinçantes.

— Les araignées-crabes !

Elles sortaient de partout, avec un murmure pareil à celui du vent dans les arbres. Elles se chevauchaient, s'entre-battaient hideusement et, avec une vélocité incroyable, se dirigeaient vers les fuyards.

On en entendit craquer et éclater dans les flammes comme des châtaignes humides, mais avec un ensemble parfait, elles contournaient les brasiers et reprenaient l'offensive. Des milliers devaient avoir succombé en quelques secondes dans le feu d'enfer de l'essence enflammée, et, pourtant, leur nombre ne semblait pas diminuer.

— Courons vers la forêt, haleta Dickson, nous avons à traverser les chaussées de lave, et je crois que ces monstres ne se hasardent pas sur un sol pierreux, il leur faut la marne et le sable.

Une bande violette se dessina sur l'horizon, des étoiles jaunes palpitaient dans un ciel soudain assombri.

— Pourvu que nous atteignions les contreforts de la

coulée de lave avant que la nuit soit complète, gronda Dickson.

Derrière eux, les flammes mouraient déjà. Tom Wills poussa un cri et, avec rage et dégoût, écrasa une hideuse bête chevelue qui se jetait contre ses jambes en faisant claquer de hautes pinces grêles.

— Nous approchons ! cria le détective, encore un effort, Tom !

Ils roulèrent exténués sur un lit de scories coupantes, et eurent la vision rassurante de la bande monstrueuse arrêtée en bloc devant la barrière volcanique.

— Sauvés ! cria Tom Wills.

— Pensez-vous ? ricana une voix moqueuse. Haut les mains, messieurs ! La petite fête est finie, ou plutôt elle va changer d'aspect !

Un homme de haute taille, tout de noir vêtu, une cagoule sombre sur la tête, les tenait en respect avec son revolver. Derrière lui, une douzaine de Noirs à la mine féroce les couchaient en joue avec des flèches aiguës.

— Messire l'Anguille ! cria Tom Wills.

— Bien dit, mon petit, répondit le bandit masqué. Veuillez vous considérer à présent comme mes hôtes. A des hommes venus d'aussi loin pour faire ma connaissance, je réserve une hospitalité peu ordinaire.

Il fit un signe à ses hommes qui, prestement, débarrassèrent les détectives de leurs armes et, par gestes, leur firent comprendre qu'ils devaient avancer.

La nuit était venue rapidement ; deux des Noirs allumèrent des torches de résine et se mirent à la tête du groupe.

Comme on avançait sur la chaussée volcanique, les indigènes se mirent à rire férocement en regardant des formes étendues sur la lave.

Les deux détectives virent les corps sanglants de leurs porteurs, étendus sur le sol, odieusement mutilés.

— Un titre de plus pour vous à la potence, Messire l'Anguille, s'écria Harry Dickson en regardant l'homme noir avec colère et mépris.

Le bandit semblait ne pas l'avoir entendu et continuait d'avancer.

L'ombre redoutable de la forêt se rapprochait du groupe.

Bientôt, ils marchèrent sous un couvert obscur, qu'étoilait, de temps à autre, le zigzag lumineux des lucioles.

6. La prison des Cent Mille Dieux

— Où sommes-nous, maître ?

Harry Dickson faillit sourire à la naïve question de son élève. Qu'en savait-il lui-même ?

La prison où ils étaient enfermés depuis deux jours était pour le moins étrange. C'était un vaste dôme de pierre parfaitement unie, comme du verre, si lisse qu'une mouche n'aurait pu avoir prise sur sa surface polie.

Tout en haut du cintre, qui était au moins à soixante pieds du sol, une ouverture ronde laissait passer un rai de clarté dorée pendant le jour, et la tremblante lueur des astres, une fois la nuit tombée.

Les prisonniers circulaient librement, car on ne s'était pas donné la peine de les ligoter.

Deux fois par jour, on leur avait descendu par l'ouverture supérieure, au bout d'un mince filin, un couffin avec des fruits variés, des tortillons de maïs, des pigeons et des poissons cuits, ainsi qu'une jarre d'eau fraîche. Leurs invisibles geôliers semblaient ne pas vouloir les condamner au lent supplice d'une mort par la faim et la soif.

Cela ne diminuait en rien les inquiétudes du détective ; il savait l'atrocité des morts rituelles que les fétichistes vaudous infligent à leurs victimes. Mais il n'en souffla mot à Tom Wills.

Après avoir exploré la prison de fond en comble, et acquis la conviction que toute espérance d'évasion était vaine, il avait porté toute son attention sur les bizarres décorations de la salle.

Tout en ne nuisant en rien à la parfaite netteté de la

pierre, par un procédé de dessin complètement inconnu du détective, les murs étaient couverts de milliers de figures hiératiques, dont la plupart avaient l'attitude basse et féroce des divinités sauvages.

D'où le nom de prison des Cent Mille Dieux que lui avait donné Dickson.

Le deuxième jour, le couffin de ravitaillement contenait de magnifique grappes d'un raisin noir, au goût de mûre.

Harry Dickson en écrasa quelques grains entre ses doigts, vit qu'ils les tachaient comme une encre indélébile, et soudain poussa un petit sifflement de satisfaction.

Tom Wills leva la tête et vit ses yeux brillants.

— Qu'y a-t-il, maître ?

— Chut ! Quelque chose qui pourra nous servir, avec l'aide de Dieu, et aussi avec la vôtre, *my boy*. Vous êtes un très bon dessinateur...

— A quoi cela va-t-il nous servir ?

— A rien peut-être, à beaucoup si la chance est pour nous et si mes déductions sont justes, ce qui est loin d'être impossible. Venez !

Il mena son élève vers une des figures et y attira son attention.

C'était celle d'un oiseau de forme singulière, au gros bec de toucan et aux puissantes serres de rapace. La bête mythologique était perchée sur la crête d'une montagne d'où s'échappait un panache de fumée.

— J'ai tout lieu de croire que c'est l'oiseau Thi, déclara-t-il. Mon cher Tom, il vous faudra reproduire fidèlement cette figure et ce paysage.

— Sur quoi ? sur le mur ?

Harry Dickson découvrit sa poitrine.

— Ici, mon petit, et l'encre ne nous manquera pas, dit-il en écrasant une des grappes de raisin noir.

Tom ne perdit pas de temps en vaines questions et se mit immédiatement à l'œuvre. Son maître n'avait nullement exagéré son talent de dessinateur, et quand, quelques heures plus tard, le jeune homme rejeta le bout de bois qui lui avait servi de pinceau, le détective se déclara très satisfait.

— Un tatouage ne ferait pas meilleur effet, avoua-t-il.

— Que faire maintenant, maître ?

— Attendre, mon garçon.

On les avait descendus dans la prison circulaire à l'aide de cordes, qui, passées sous les aisselles, avaient été retirées aussitôt. Cela s'était fait la nuit, et les captifs n'avaient pu reconnaître le paysage.

Cela aussi avait confirmé l'idée du détective, qu'en dehors de la haute ouverture inaccessible il n'existait pas d'accès à leur cachot. Le troisième jour arriva, sans qu'aucune présence ne se fût manifestée, si ce n'est la descente régulière des victuailles.

Leur père nourricier ne se montrait même pas, et c'est à peine s'ils pouvaient entrevoir un bras maigre et noir, manœuvrant la corde d'envoi.

Les heures commençaient à s'allonger, à devenir interminables.

Depuis longtemps, les détectives ne se parlaient plus que par monosyllabes, tout sujet de conversation semblant être épuisé entre eux.

Harry Dickson restait couché sur la pierre noire et dure, les yeux clos, feignant le sommeil, mais Tom Wills sentait qu'il réfléchissait.

La prison des Cent Mille Dieux devait se trouver en pleine forêt.

On en entendait tous les bruits : le murmure des feuilles dans le vent du large, le cri des geais et des perruches et, à la nuit tombante, le feulement menaçant d'un fauve en chasse.

La troisième nuit venue, un changement parut intervenir dans le rythme de ces sons épars. Un murmure lointain de foule... La prison circulaire formant conque, cette rumeur s'amplifiait.

On distinguait des chants rituels psalmodiés sur un mode étrange, un son étouffé de tambours voilés, l'aigre plainte d'un fifre.

De temps en temps, un grondement dominait ce tumulte lointain, et quand il avait cessé, les chants reprenaient de plus belle, accompagnés parfois de longues clameurs d'allégresse et de terreur.

— On dirait qu'une cérémonie se prépare quelque

part dans les environs, dit enfin Tom Wills, rompant un mutisme de plusieurs heures.

— C'est cela, en effet, répondit le détective sans quitter sa pose alanguie.

Le grondement reprit, plus fort cette fois-ci, et un long hululement de crainte s'éleva au-dehors.

Harry Dickson s'était redressé.

— Le sol a tremblé, murmura-t-il, c'est le volcan qui parle.

Au-dessus de leurs têtes, l'ouverture circulaire se teinta de jaune, puis prit une belle couleur safranée.

— Demain, c'est la pleine lune, soupira Harry Dickson, et alors...

— Alors ?...

— On verra. Nous sommes dans la main de Dieu.

Le lendemain, ils furent tirés d'un sommeil pénible et lourd par une grande clameur de liesse venant du dehors.

Les tambours roulaient à plein rendement, des « balafons » sonnaient de longues notes vibrantes, une effroyable mélopée s'élevait, monotone :

— La ! Hi ! Hi ! Ti ! Hi ! La ! Hi ! Ti...

D'autres voix farouches répondaient au loin, imitant le vent dans les arbres :

— Hou ! Hou ! Hou ! Hou !

— C'est à devenir fou, gémissait Tom.

La bouche crispée, Harry Dickson écoutait l'horrible marée de sons et de clameurs forcenés. Les grondements étaient devenus plus forts et revenaient par périodes régulières. La terre frémissait sous eux.

A l'heure habituelle, le couffin aux fruits ne fut pas descendu, mais bien une jarre remplie de vin répandant une odeur épicée de cannelle et de zeste de citron.

Tom allongea avidement la main vers elle, mais Harry Dickson le retint.

— N'en buvez pas, sous aucun prétexte, c'est le vin de la folie.

— De la folie ?

— Et de la mort, Tom... Maintenant, je sais quel sort on veut nous réserver.

» On veut nous sacrifier à je ne sais quelles horribles

divinités volcaniques. Et les rites veulent que les victimes aillent au-devant du supplice en chantant.

» Mais lorsque ces victimes ne sont pas des fanatiques pris dans la foule même des païens, ce qui arrive quelquefois, on les enivre au moyen de cette boisson, qui est, paraît-il, délicieuse, et ils marchent à la mort avec un plaisir qui semble extrême. Or, nous aurons besoin de toute la clarté de notre esprit.

— Et nous chanterons quand même ?

— Parbleu !

En parlant, le détective avait détaché la jarre, dont le filin remonta aussitôt. Rapidement, Harry Dickson renversa une partie du contenu ; une forte odeur d'épices se répandit.

Plus longues que jamais, les heures passèrent. La rumeur du dehors provoquait chez les prisonniers une sorte d'hébétude qu'ils secouaient difficilement.

Enfin, le détective fit signe à son élève.

— C'est le moment où la drogue contenue dans le vin devrait commencer à opérer ; nous pouvons commencer à donner des signes de bonne humeur.

— L'effet se dissipe-t-il rapidement ?

— A en croire les livres, il perdure pendant six ou sept heures au moins ; ce qui me fait croire que d'ici là, nous serons face à face avec la destinée, mon ami !

Cela dit, Harry Dickson commença à chantonner.

— *It's a long way to Tipperary!* entonna Tom Wills.

— Ha, ha ! la bonne blague, Tom, nous nous croyons à l'intérieur d'un sale morne des îles Sous-le-Vent, et, en fait, nous sommes à Londres, dans le meilleur bar de Covent Garden ! Vive la joie !

Tout en haut de la salle circulaire, quelques ombres glissèrent : les geôliers, observant leurs captifs, se félicitaient de la bonne marche des choses.

Ce fut une terrible corvée pour les détectives de maintenir leur humeur au même diapason, en observant même un crescendo habile.

Enfin, le ciel s'obscurcit, des étoiles s'allumèrent, des oiseaux nocturnes passèrent dans un déploiement de velours, un renard volant chuinta sinistrement au-dessus de la tête des Anglais.

Une nappe de clarté orangée s'épandit dans les hauteurs et ses reflets baignèrent l'étrange prison. Presque en même temps, les clameurs reprirent avec une intensité renouvelée.

— La pleine lune! murmura le détective. Préparons-nous, Tom, mais ayez confiance tout de même, j'ai quelque espoir de réussite.

Aussitôt, il commença à chanter un air de valse, d'une agréable voix de ténorino.

Tom Wills, qui ne voulait pas être en reste, dansa une gigue écossaise effrénée, en imitant le son criard des fifres des Highlands.

Tout à coup, des ombres s'interposèrent devant l'écran lumineux du cintre; deux cordes furent déroulées et de robustes Noirs se laissèrent glisser sur le sol aux côtés des captifs.

Ceux-ci eurent l'air de ne pas les voir, tant ils exultaient d'une joie d'hommes ivres. Ils ne s'opposèrent nullement à ce que les câbles fussent passés sous leurs aisselles.

Prestement, on les hissa vers le plafond et quelques instants plus tard, ils prenaient pied sur le sommet d'un petit morne, au milieu d'un groupe de Noirs armés de javelots et de casse-tête.

— Avancez, dit l'un d'eux en anglais.

— On y va, mon petit père, clama Tom Wills, et il entonna une chanson de route; Dickson s'empressa de l'imiter.

Une longue hilarité secoua leurs gardiens, qui se mirent à leur tour à chanter la marche aussi bien qu'ils le pouvaient.

Le spectacle autour d'eux était des plus fantastiques.

Ils se trouvèrent, une fois les pentes du morne descendues, dans une partie déboisée de la forêt, constellée de feux et de torches géantes. Une foule sombre grouillait dans la lueur des brasiers.

Dès l'apparition de la garde noire entourant les prisonniers, une formidable clameur éveilla les échos sylvestres.

Les gardiens marchaient au pas accéléré, entourant

les Blancs qui n'étaient chargés d'aucun lien, et qui donnaient des signes d'ivresse manifestes.

Soudain, la route forestière fit un coude, et, celui-ci dépassé, le décor changea : une vaste esplanade s'offrit aux regards, éclairée par de petits feux extraordinairement brillants. Une odeur d'encens, de bois brûlé et de chair grillée, emplissait l'air.

De chaque côté du chemin, de grands feux flambaient ; empalés sur des broches primitives, des quartiers de venaison, des volailles plumées et du petit gibier cuisaient dans les flammes ; des monceaux de fruits voisinaient avec les brasiers : de formidables agapes se préparaient.

Une fois arrivés sur l'esplanade, les prisonniers virent que les feux de joie avaient disparu et étaient remplacés par de hautes torches bleues, alimentées par des blocs de soufre. Une odeur acide les fit tousser et compromit un instant leur joie chorale.

Devant eux, à peine constellé de quelques lumières, un cône sombre se dressait, filant droit vers le firmament : le volcan sacré, le Ma-Hi-Tiou.

La lune ronde semblait posée sur sa pointe.

Les clameurs des sauvages avaient cessé ; partout, ce n'étaient plus que formes sombres prosternées et murmurantes.

Deux poteaux de bois noir, aux affreuses sculptures, se dressaient sur une hauteur ; un prêtre indigène, coiffé d'une tiare de plumes rouges, montait auprès d'eux une garde silencieuse et solitaire.

Les gardiens firent halte et se jetèrent face contre terre.

Aussitôt deux Noirs, hideusement peinturlurés, bondirent hors de l'ombre, s'emparèrent des prisonniers et, avec une incroyable prestesse, les attachèrent aux poteaux de torture.

Le prêtre ne bougea pas, comme s'il n'avait pas vu les futures victimes.

Soudain, un grand coup de gong sonna.

A la base du volcan, une flamme bleue s'éleva, atteignit une grande hauteur. Le sacrificateur leva les bras au ciel et se mit à psalmodier un rituel rapide et monotone. Les prisonniers ne chantaient plus, mais sifflaient allégrement un air de music-hall.

Le prêtre s'inclina un moment, le visage tourné vers le volcan, prit une jarre d'argent et se dirigea vers les captifs.

— On peut boire, Tom, murmura rapidement le détective, c'est de l'eau fraîche. Et puis, il nous faudra nous taire, car cette eau est destinée à dissiper l'ivresse, ce qui, paraît-il, arrive instantanément après la première gorgée.

Le prêtre leur fit une profonde révérence et leur offrit à boire.

Les détectives obéirent, et roulèrent des yeux étonnés : ils restaient bien dans leur rôle.

Le sacrificateur eut un geste de satisfaction et reposa la jarre.

Tout à coup, un formidable grondement retentit. Au loin, la foule se mit à crier de terreur, et les chants rituels reprirent avec force.

Mais, à cinq pas des poteaux, sans qu'on eût pu voir comment, une étrange femme s'était dressée.

Elle était vieille et courbée, mais ses yeux noirs brillaient d'intelligence ; une étoffe précieuse lamée d'argent l'habillait de la tête aux pieds.

— Salut à toi, Ma-Thi, gardienne de la montagne du feu ! glapit le prêtre.

Chose curieuse, il avait dit cela en un anglais parfait.

La sorcière branla la tête.

— Que le Blanc annoncé par les dieux vienne, répondit-elle dans la même langue.

— Pour le prix des deux espions blancs, acceptez-vous de lui laisser la victime blanche ? demanda le sacrificateur.

— Je le veux, fut la réponse.

Le prêtre s'inclina.

— Venez, Blanc ! Venez, homme étranger aimé des dieux !

Des pas retentirent sur le pavage de lave et une forme sombre parut.

Elle se tenait légèrement voûtée et tournait le dos aux détectives.

— Etes-vous l'homme blanc élu par les dieux? demanda la sorcière d'une voix lente. Quinze fois, l'oiseau Thi est revenu depuis votre départ, et votre heure est arrivée, car ainsi l'ont voulu les dieux. Je ne vous ai pas vu, et ne puis le faire, telle aussi est la volonté des divinités du feu et de la forêt, mais je reconnaîtrai votre voix. Montrez-moi l'image de l'oiseau sacré sur votre cœur et rendez-moi mon doigt, homme aimé de la montagne, et tout le trésor du Ma-Hi-Tiou sera vôtre en échange!

L'homme voilé s'inclina longuement.

— Ma-Thi, je suis cet homme! dit-il.

— Oui, je reconnais votre voix, répondit la vestale.

Harry Dickson avait failli crier de stupeur en l'entendant; ne venait-il pas d'identifier la voix cassée de Joe Haskins? L'homme assassiné dans une sordide ruelle de Londres était-il sorti de la tombe?

L'homme avait fait un geste et découvert sa poitrine.

La sorcière poussa une clameur déchirante et se prosterna.

— L'image de l'oiseau Thi est sur votre cœur étranger!

Alors, l'homme lui tendit une pelote brune.

— Dévidez le fil, Ma-Thi, et vous retrouverez votre doigt, que les dieux détachèrent de votre main il y a quinze années cette nuit.

D'une main tremblante, la vieille fit tomber le fil.

Harry Dickson, les nerfs tendus, regardait éperdument: le grand instant, où sa vie et celle de son compagnon allaient se jouer, était proche.

Le fil s'allongeait, la pelote de laine devenait de plus en plus petite, et soudain Harry Dickson poussa un rauquement de joie folle: un morceau de papier, un fragment de journal, venait d'apparaître.

— Trahison! Mon doigt a été volé!

La sorcière venait de jeter ce cri avec une fureur terrible.

L'homme eut un recul, mais aussitôt, toute la garde noire se jeta sur lui et le maintint.

— A mort! tonna le prêtre.

— Halte! cria une voix qui semblait emplir toute la vastitude.

C'était Harry Dickson qui venait de lancer ce mot.

— Ma-Thi ! on vous a lâchement trompée, faites découvrir ma poitrine !

La sorcière lui jeta un regard pénétrant.

— Fais ce que dit le prisonnier, ordonna-t-elle au prêtre.

Celui-ci écarta la chemise du détective d'une main fiévreuse et poussa un cri de stupeur :

— L'oiseau sacré est sur son cœur !

— Bien, dit Dickson, et qu'on arrache la fausse image de la poitrine de l'imposteur !

Ce fut la vestale elle-même qui s'en chargea. De ses ongles crochus, elle laboura la chair de l'inconnu, et soudain une peau sombre s'en détacha... la peau du vieil Haskins, arrachée à sa poitrine la nuit du meurtre de Lloyds Clos.

— A mort ! A mort ! hurlèrent aussitôt des voix furieuses.

— Mon doigt ! glapit la sorcière.

— Que l'on me détache, ainsi que mon compagnon, dit Harry Dickson, et il vous sera rendu.

Sur un signe de Ma-Thi, les indigènes obéirent.

Lentement, le détective extirpa d'une poche secrète de son habit une petite pelote de laine rouge, dont la gardienne s'empara vivement.

La laine tomba : le doigt apparut.

— Le doigt de Ma-Thi ! Gloire à l'homme blanc ! A lui les trésors de la montagne ! A mort le voleur ! A mort le traître ! L'impie ! Le profanateur !

L'homme était resté sans mouvement, mais, par les trous de la cagoule, ses yeux flambaient de rage ; il se dégagea d'un mouvement brusque, bondit en avant, tira un revolver.

Des coups de feu retentirent.

Ma-Thi, atteinte en plein cœur, tomba sans une plainte, le prêtre roula sur le sol dans les convulsions de l'agonie ; la garde noire s'éparpilla en criant de terreur.

Harry Dickson se jeta sur l'assassin.

Mais il ne l'atteignit pas car, brusquement, il fut projeté sur le sol.

Que se passait-il ?

Il entendit des clameurs folles et un bruit de fuite éperdue ; sous lui, la terre ondulait comme une mer de tempête, une fantastique clarté rouge fusa vers le ciel sombre.

— Le volcan entre en éruption ! hurla Tom en relevant son maître.

En effet, une colossale secousse tellurique venait d'ébranler l'île sur ses bases et, du haut du cône environné d'éclairs, un flot de lave incandescente jaillit et se mit à descendre les pentes avec une vélocité meurtrière.

— Vers la mer, Tom ! cria Harry Dickson en prenant sa course.

Les Noirs s'enfuyaient de tous côtés vers les profondeurs de la forêt ténébreuse. L'étranger avait disparu comme si le sol l'avait englouti.

De formidables grondements roulaient comme un tonnerre infini, la foudre pourfendait sans répit les géants de la forêt et de hautes flammes jaillissaient à chaque minute.

Harry Dickson et Tom Wills, lancés dans une course effrénée, approchaient du rivage.

— Quelle artillerie ! cria le jeune homme.

Harry Dickson poussa un cri de joie :

— Ce sont des salves régulières ! C'est lui !

— Qui, lui ? hurla Tom qui ne comprenait qu'à moitié ce que le maître criait, tant les bruits se confondaient en une furieuse clameur de tempête.

— Le navire de guerre britannique qui doit croiser, selon ma prière, dans les parages en ce moment !

Au même instant, un jet de lumière blanche venu de la mer les frappa en plein visage et ils se trouvèrent dans les feux d'un projecteur de marine.

Puis ils virent, accourant sur les hautes lames soulevées par le sinistre, une baleinière montée par des soldats de la marine.

Le croiseur *Ironside*, de la marine anglaise, était à son poste.

7. H.M.S. *Ironside*

La mer était grosse et le croiseur *Ironside*, malgré ses 8 000 tonnes, luttait contre les vagues tourmentées, piquant du nez dans l'écume comme un vulgaire cotre de pêche.

Au loin, l'île de l'Anguille n'était plus qu'une fumée fuligineuse sur l'horizon, où ne se distinguait même plus le pain de sucre de son volcan : la plus grande partie de cette terre mystérieuse venait de s'abîmer dans les flots, de par la rage du cataclysme.

Harry Dickson se tenait aux côtés du commandant Harper, et sa bouche se plissait en une moue mécontente.

— Bah, mon cher Dickson, le consolait Harper, le bandit a fini par le feu et non par la corde, cela se vaut.

Mais le détective secouait la tête.

— Ce qui est regrettable, continua le marin, c'est que le mystère reste entier, et que personne ne connaîtra la personnalité de Messire l'Anguille.

— Si, commandant, moi ; je la connais, mais on ne me croirait pas... Je devrai garder le silence...

Un cri de l'homme de vigie l'interrompit :

— Un yacht à tribord, sous le vent !

Harry Dickson pointa aussitôt sa lunette vers l'endroit et tout son être frémit.

— Je n'ose trop espérer, commandant, murmura-t-il, mais j'aimerais fort inspecter leur bord, à ces voyageurs-là.

— Prenez le yacht en chasse, lança Harper dans le tube acoustique.

Le croiseur vira de bord.

— Ils donnent du moteur, fit remarquer un officier de quart, on dirait que ces particuliers ne tiennent pas à faire notre connaissance.

— Forcez les feux ! ordonna le commandant.

Le croiseur gagnait vivement sur le petit bâtiment,

pourtant lancé à toute allure ; bientôt, ses formes se précisèrent.

— C'est un yacht cubain, observa l'officier de quart.

— Envoyez un coup de semonce !

Un canon de chasse vomit un flocon de fumée blanche, mais le yacht vira de bord, apparemment peu disposé à s'arrêter.

— Obus ! commanda simplement Harper.

Une gerbe d'eau s'épanouit à l'arrière du fugitif.

— Trop court ! Rectifiez le tir !

Trois minutes plus tard, la gerbe s'éleva devant l'étrave du yacht et son beaupré vola en miettes.

— *Hit !* ricana Harry Dickson.

— Faites donner l'héliographe, jeta le commandant Harper d'une voix brève.

L'appareil d'optique se mit à fonctionner, et de rapides rais solaires palpitèrent à l'avant du croiseur.

— Stoppez ou nous vous coulons ! disaient les signaux lumineux.

Dans le champ des jumelles marines, on pouvait voir qu'un affolement général régnait à bord du yacht. Des hommes couraient en tous sens, faisant des gestes, exécutant toute une mimique de désespoir panique.

Enfin, le petit navire stoppa.

— Parez la baleinière !

— Nagez !

Les rames plongèrent frénétiquement, brassant le flot vert.

— Accostez !

Harry Dickson, Tom Wills et deux officiers sautèrent sur le pont du yacht, braquant leurs revolvers.

Le patron du navire, un mulâtre en costume de coutil blanc, s'avança vers eux, gris de terreur.

— *Gentlemen*, je ne sais vraiment pas...

— Assez ! ordonna Harry Dickson. Livrez-nous vos passagers, et soyez heureux que nous vous laissions continuer votre route.

— Nous n'avons pas de passagers à bord, Sir !

— Je vous donne une minute, montre en main, tonna le détective. Faites-les monter sur le pont. Un homme et une femme !

— Il n'y a qu'une femme, Sir... dans le salon du pont supérieur.

Harry Dickson fit quelques pas vers l'endroit indiqué, et Tom Wills poussa un véritable glapissement de stupeur en lui entendant dire :

— La comédie a assez duré, montez sur le pont, Miss Barbara Castlemain !

Tom Wills faillit avoir le vertige en apercevant tout à coup, montant sur le pont, l'héritière des Castlemain, qu'il avait vue morte...

Elle se dressait, froide et hautaine, et ce n'était plus la grincheuse infirmière à lunettes de jadis, mais vraiment une grande dame qui s'avançait vers eux, la mine méprisante.

— Je suppose que vous me traiterez selon mon rang, messieurs, dit-elle d'une voix calme, j'ai du sang royal dans les veines !

Harry Dickson ne lui répondit pas ; il se tourna vers les officiers.

— Faites monter trois ou quatre hommes à bord, et qu'ils me fouillent ce yacht, ils trouveront bien quelque part un Noir qui se cache.

Miss Barbara pâlit.

— Ne lui faites pas de mal, murmura-t-elle d'une voix suppliante, c'est moi qui ai voulu tout cela, et... c'est... mon mari !

Harry Dickson la regarda avec stupeur.

— Vous, une Castlemain, de sang royal... mariée à un Noir... au domestique Antharès !

Il se passa la main sur le front.

— Maintenant, tout le drame de Castlemain House s'explique, murmura-t-il.

Antharès, qui n'en menait pas large, fut hissé sur le pont.

Il fut jeté à fond de cale à bord de l'*Ironside*. Miss Barbara fut gardée à vue dans une cabine d'officier.

A la table des officiers, Harry Dickson se laissa aller aux confidences ; il devait bien cela au brave équipage du croiseur.

— Toute cette damnée histoire tourne autour d'une ancienne aventure du colon Joe Haskins.

» Un jour, dans la forêt, il découvrit une vieille sorcière, atteinte de lèpre.

» Ce n'était pas un méchant homme. Il la soigna et parvint à lui prolonger la vie. Or, ce n'était personne d'autre que Ma-Thi, la gardienne du volcan.

» Pour la sauver du terrible mal, il lui amputa un doigt déjà trop atteint.

» Un singulier hasard voulut alors qu'il se trouva dans les conditions requises par une antique légende.

» Un homme blanc emporterait le doigt de la sorcière, et ne le lui rendrait que quinze ans plus tard ; alors, le doigt reprendrait sa place primitive à la main de la malade. Pendant ces quinze années, il devrait porter sur la poitrine l'image de l'oiseau sacré Thi, qui revient à chaque arrière-saison sur le volcan Ma-Hi-Tiou. Alors, les trésors du volcan — on parlait d'un fantastique gisement d'or natif — seraient siens.

» Cette légende, je l'ai trouvée relatée dans plusieurs livres de voyages.

» Pendant le premier stade du mal dont souffrait la gardienne du feu, elle fut atteinte d'une cécité passagère, ce qui fit qu'elle ne vit jamais son sauveur, mais qu'elle entendit la voix. Elle ne retrouva la vue que bien plus tard, quand, après l'éruption du volcan, les colons ruinés eurent quitté l'île.

» Joe Haskins attacha-t-il quelque importance à cette croyance, et surtout à la promesse lointaine ? Il faut croire que non, puisqu'il en parla, sans doute à Antharès, qui fut son compagnon de beuverie, mais il ne lui révéla pas que c'était lui, le détenteur du fameux secret, et laissa planer des doutes. Il se peut aussi que ce ne fût pas Antharès son confident ; cela est d'une importance toute secondaire.

» Mais les quinze années allaient être révolues.

» Les Castlemain vivaient chichement car, en affirmant qu'ils avaient gardé intacte la plus grande partie de leur fortune, ils mentaient.

» En secret, Barbara Castlemain avait épousé le serviteur antillais.

» Un jour, il lui confia le secret de l'île, et dès lors la jeune femme n'eut de cesse qu'elle n'eût retrouvé le colon qui le détenait.

» Messire l'Anguille naquit : c'était le Noir Antharès. Si d'aucuns l'ont pris pour un Blanc, cela ne provient que d'un très habile maquillage.

» Antharès était agile et intelligent, mais l'esprit clair de sa femme le guidait dans toutes ses entreprises.

» Je ne puis parler sans une certaine admiration de leurs débuts.

» Ils ont créé une sorte d'aventurier sympathique. Cela réussit, mais trop bien, il faut l'avouer. Devenus d'une superbe audace, ils durent se piquer au jeu. Ni Scotland Yard, ni Dickson n'auraient pu triompher d'eux ! Ce n'est pas la première fois que je constate que des criminels d'occasion aiment jouer avec le feu, comme ces deux-là l'ont fait.

» Certes, il est des cas où cette folle témérité est couronnée de succès, mais cela n'arrive pas toujours. Dans cette affaire, il en fut ainsi.

» Qu'est-il arrivé à Castlemain House ?

» J'en suis réduit aux conjectures sur beaucoup de points.

» Les deux criminels, en possession du tatouage arraché hideusement à la poitrine de l'infortuné Haskins et de la pelote qu'ils croient contenir le doigt coupé, décident de partir pour l'île.

» Le vieux Castlemain surprend le secret de leur mariage.

» Imaginez-vous la fureur du vieux gentilhomme ! Il va tuer Antharès, mais Barbara intervient et c'est elle qui tue son grand-oncle !

» Maintenant, il faut organiser une vaste et rapide comédie :

» Il faut que le grand ennemi Dickson disparaisse, et son élève aussi.

» Les foyers d'un terrible incendie sont préparés.

» Disposant de tout un arsenal de poisons tropicaux, on parvient aisément à donner à Miss Barbara les apparences de la mort. Quant à Antharès, cela lui est moins difficile, car tout me fait croire qu'il fut sérieusement blessé par son maître.

» Lui aussi joua la comédie d'une façon merveilleuse, suffisamment en tout cas pour que, dans la hâte et l'émotion de cette nuit tragique, j'y fusse trompé.

» Même, des débris empruntés à quelque ossuaire ont été dissimulés d'avance dans la maison, afin que leur découverte, après l'incendie, fasse croire que Miss Barbara et son serviteur y sont restés.

— Comment avez-vous démasqué leur comédie, Mr. Dickson ? demanda le commandant Harper.

— Assez vite, répondit le détective, je trouvai sous les décombres un passage qui menait dans les caves des maisons voisines. N'oubliez pas que Castlemain House fut jadis coupée en trois, et que ce souterrain avait pu aisément être maintenu. Je découvris que ce passage avait été soigneusement déblayé, comme pour être prêt en cas de retraite.

... Le croiseur faisait route vers Georgetown, mais il n'y arriva pas sans encombre.

La veille de son arrivée, Miss Barbara parvint à tromper la surveillance de ses gardiens et se jeta à la mer.

Les parages étaient infestés de squales... elle ne réapparut plus.

Seul Antharès regagna Londres, mais néanmoins échappa à la potence. Peu de jours après son emprisonnement à Newgate, il fut pris d'une fièvre intense, puis les médecins lui découvrirent une lèpre affreuse, d'une virulence presque inconnue, qui l'emporta en quelques semaines.

Ainsi l'île mystérieuse se vengea du profanateur, et le trésor du volcan devint celui des abysses de l'océan.

difficulté [illegible] tant que [illegible] qu'il ne [illegible] personne [illegible].

Il [illegible] d'une façon mystérieuse [illegible] pour [illegible] dans [illegible] et [illegible].

Même, des débris [illegible] à quelque [illegible] dans la maison, afin qu'on les découvrît après l'incendie. Je ne crois pas que Mrs Bon[illegible] y soit [illegible].

— Comment avez-vous découvert [illegible], Mr Dickson ? demanda le commandant Harper.

— À ma visite [illegible] je trouvai sous les [illegible] un passage qui menait dans les caves des [illegible] voisines. [illegible] que ce souterrain avait [illegible] et je découvris que ce passage avait été [illegible] déblayé, comme pour être prêt en cas de retraite.

— Le [illegible] Compton, mais il [illegible] pas sans encombre.

La veille de son départ, Miss Barbara parvint à [illegible] de ses [illegible] et se [illegible] les [illegible] qu'elle ne [illegible] point plus.

[illegible] Ambrose [illegible] Lester [illegible] mais [illegible] à la [illegible]. [illegible] qui [illegible] une [illegible] [illegible] leurs [illegible].

[illegible] du [illegible] au [illegible] des [illegible] de [illegible].

DANS LA MÊME COLLECTION

Alphonse Allais
L'affaire Blaireau
A l'œil

Richard Bach
Jonathan Livingston le goéland

Honoré de Balzac
Le colonel Chabert

Charles Baudelaire
Les Fleurs du Mal

René Belletto
Le temps mort
- L' homme de main
- La vie rêvée

Pierre Benoit
Le soleil de minuit

Bernardin de Saint-Pierre
Paul et Virginie

André Beucler
Gueule d'amour

Ray Bradbury
Celui qui attend

Francis Carco
Rien qu'une femme

Jacques Cazotte
Le diable amoureux

Jean-Pierre Chabrol
Contes à mi-voix
- La soupe de la mamée
- La rencontre de Clotilde

Andrée Chedid
Le sixième jour

Bernard Clavel
Tiennot

Jean Cocteau
Orphée

Colette
Le blé en herbe
La fin de Chéri
L'entrave

Corneille
Le Cid

Alphonse Daudet
Lettres de mon moulin
Sapho

Denis Diderot
Le neveu de Rameau

Philippe Djian
Crocodiles

Arthur Conan Doyle
Sherlock Holmes
- La bande mouchetée
- Le rituel des Musgrave
- La cycliste solitaire
- Une étude en rouge
- Les six Napoléons

Alexandre Dumas
La femme au collier de velours

Gustave Flaubert
Trois contes

Théophile Gautier
Le roman de la momie

Genèse (La)

Goethe
Faust

Frédérique Hébrard
Le mois de septembre

Victor Hugo
Le dernier jour d'un condamné

Franz Kafka
La métamorphose

Stephen King
Le singe
La ballade de la balle élastique

Madame de La Fayette
La Princesse de Clèves

Longus
Daphnis et Chloé

Pierre Louÿs
La Femme et le Pantin

Howard P. Lovecraft
Les Autres Dieux

Arthur Machen
Le grand dieu Pan

Félicien Marceau
Le voyage de noce de Figaro

Guy de Maupassant
Le Horla
Boule de Suif
Une partie de campagne
La maison Tellier

Prosper Mérimée
Carmen

Molière
Dom Juan

Alberto Moravia
Le mépris

Alfred de Musset
Les caprices de Marianne

Gérard de Nerval
Aurélia

Ovide
L'art d'aimer

Charles Perrault
Contes de ma mère l'Oye

Platon
Le banquet

Edgar Allan Poe
Double assassinat dans la rue Morgue

Alexandre Pouchkine
La fille du capitaine
La dame de pique

Ellery Queen
Le char de Phaéton
La course au trésor

Raymond Radiguet
Le diable au corps

Jean Ray
Harry Dickson
- Le châtiment des Foyle
- Les étoiles de la mort
- Le fauteuil 27
- La terrible nuit du Zoo

Jules Renard
Poil de Carotte

Arthur Rimbaud
Le bateau ivre

George Sand
La mare au diable

Erich Segal
Love Story

William Shakespeare
Roméo et Juliette
Hamlet

Sophocle
Œdipe roi

Robert Louis Stevenson
Olalla des Montagnes

Léon Tolstoï
Hadji Mourad

Ivan Tourgueniev
Premier amour

Henri Troyat
La neige en deuil
Le geste d'Eve
La pierre, la feuille et les ciseaux

Albert t'Serstevens
L'or du Cristobal
Taïa

Paul Verlaine
Poèmes saturniens
suivi des Fêtes galantes

Jules Verne
Les cinq cents millions de la Bégum
Les forceurs de blocus

Voltaire
Candide
Zadig ou la Destinée

Emile Zola
La mort d'Olivier Bécaille

** Titres à paraître*

Achevé d'imprimer en Europe
à Pössneck (Thuringe, Allemagne)
en octobre 1995
pour le compte de EJL
27, rue Cassette 75006 Paris

Dépôt légal octobre 1995

Diffusion France et étranger
Flammarion